# 一瞬でできる！頭の整理力

齋藤孝
Saito Takashi

JN096830

## はじめに　0・5秒で最適解を見つける7つのルール

「あそこでああ言えばよかった！」

会議のあと、あるいは友人や恋人と別れたあとなどに自分の発言を振り返ってみて歯がゆい思いをした経験は誰にでもあるのではないでしょうか。

考えをうまく言葉にできなかったり、大事なことを言い忘れたりして、悔いを残してしまうパターンです。

あとから考えれば、よりよい言葉が見つかるのに、そのときには **〝自分の中での最適解〟が引き出せなかった……。**

そんな失敗は、誰でも経験しているはずです。

人は、年齢とともに知識を蓄えていきます。

しかし、その知識を必要に合わせてうまく使えているかといえば、なかなかそうはいきません。

時間をかけて判断できる場面であればともかく、即座に回答したり、決断しなければならない場面では、せっかく持っているはずの知識を生かしきれないケースが、意外に多いのではないでしょうか。

それどころか、蓄えた知識が邪魔をして、判断が遅れたり、間違った答えを導き出してしまうことさえあります。

だとしたら、その知識はいったいなんのためのものなのか。

知識があってもなくても同じ、もしくは、ないほうがよかった、と思うような結果になってしまったとしたら、私たちがこれまで費やしてきた膨大な勉強や読書の時間が無意味になるだけでなく、人生そのものの意味が問われてしまうでしょう。

ですから、日常の中でよく起こる「あそこでああ言えばよかった！」は、物忘れのような、記憶にかかわる単純な問題ではなく、その人の人生を形作っていくうえで、実はかなり重要な場面だということができます。

「今日は自分が思っていることを十分表現できた」

「ちゃんと伝えられた」
「いいことを言えた」
と感じることは、人が日々、深い満足感と幸福感を得ながら生きていくうえで、とても大事なことなのです。

## 「言うべきことは、言うべきときに言う」ことの大切さ

私は、教師として、日々学生たちの前で話をしています。また、コメンテーターとしてテレビの情報番組などに出演していますし、著書もコンスタントに出し続け、数百冊を超えました。その中には「伝え方」、「話し方」をテーマにした著書もたくさんあります。知識のアウトプットについて考え続けてきました。

そんな私ですから、「あそこであぁ言えばよかった！」なんていう失敗はあまりないだろうと思われるかもしれませんが、残念ながら、いつもそううまくはいきません。

それが深刻なのが、テレビの生放送です。

「あのときの文脈で、なぜあれを話さなかったのか……！」

いくら反省したところで、一瞬のチャンスを逃したら最後、また話題が戻ってくるわけもありません。たとえて言えば、目の前を列車が何本も通り過ぎ、自分の駅にはなかなか止まらない。運よく止まったときに乗り損なってしまったら永遠に乗れない、急行列車のようなものです。

そんな生放送のテレビ出演を、私は一時期、月曜日から金曜日まで毎日やっていたことがありました。そのとき、「言うべきことは、言うべきときに言う」ということを、ずいぶん鍛えられたと思います。

## 人生は生放送

「生放送の番組にオビで出演する」という経験はかなり特殊ですから、そのためのスキルは自分には必要ない、と思う方もいるかもしれません。

ですが、考えてみれば、私たちの一生は、すべてが一期一会です。

朝、家族に「おはよう」と挨拶して、会話を始めるのも、お隣さんと立ち話をするのも、仕事でお客さんにプレゼンしたり、上司に報告するのも、すべてその一瞬はそのときだけで、二度と同じ時間を繰り返すことはありません。それは言い換えると「人生という生放送に出演し続けている」と言うことができるのではないでしょうか。

テレビの生放送と同じで、あとから撮り直しができないのですから、その瞬間、瞬間に、「言いたいことを適切に伝える」ことが必要ですし、そのための準備ができていないといけません。

そこで、人生という急行列車に乗り損ねないための方法として必要なのが、「頭の整理」です。

## 頭の整理ができているときの反応速度は0・5秒

「頭の整理がうまくできている」というのは、どういう状態でしょうか。

突然、何かのテーマについて「どう思いますか?」と尋ねられたときのことを想像してみてください。

そのときにどう反応して、どのように答えるか?

体感でいうと、こうした場合には**0・5秒くらいで頭の中の情報を引き出す必要があります。**

突然、質問をされたようなとき、何を話せるかを0・5秒で考え、思いついたことの中で優先順位を決めるのに0・5秒。話し始めるのは1秒後です。

テレビでは、**2秒黙ってしまえば放送事故**に近くなり、**1秒の沈黙があっても不自然なほど**なので、実際は1秒で口を開くのではなく0・5秒にしたいところです。

普通の会話でも同じことです。頭の中を整理しておけば、これが可能になります。

## トレーニングによって最適解は0・5秒で出せるようになる

車を運転しているとき、ドライバーは秒単位、あるいは1秒にも満たないコンマ単位で何をすべきかを判断しています。アクセル、ブレーキ、方向指示器の操作。マニュアル車であるならクラッチにギアチェンジ。それに加えて、周囲の状況に合わせて的確な車線変更やスピードの上げ下げもしなければなりません。

分岐点が入り組んでいる首都高速道路では、慣れていないドライバーは、自分がいまどの車線にいて、どちらに行けばいいかの判断をするのが非常に難しいものです。

一方で、首都高に慣れているドライバーならそのときそのときやるべきことをスムーズにやれます。車線変更が難しいなどとは思ってもいないはずです。

その違いも結局、**情報が整理できているかどうか**です。

頭が整理されていない状態のときにはどうしても目の前のことでいっぱいいっぱいになってしまいます。そうすると、車線変更の判断が遅れ、バイクや後続車を巻き込んでしまうことにもなりかねません。

スポーツでもそうです。サッカーなどでも、頭が整理できている選手かどうかはすぐにわかります。

ドリブルやパスの技術のレベルは変わらなくても、どこにパスを出すべきかといった判断の部分で差が生まれます。判断が遅れるとすぐに失点につながります。

私は1日1試合くらいのペースで海外サッカーを見ていますが、FCバルセロナの選手には頭が整理されている選手が多いと感じます。彼らは、育成スクールやジュニアチームの頃から「ロンド」と呼ばれるパス回しを徹底しているそうです。

3人か4人の選手が「鳥カゴ」と呼ばれる三角形か四角形を作り、カゴの中に入る1人か2人の「鬼役」にボールを取られないように、パス回しを続けます。うまくやるためには状況の把握と自分がやるべきことの判断をほぼ同時に行う必要があります。ロンドによってそうした能力が養えるわけです。

会話もこれと同じです。

会話にしても行動にしても、その場の流れの中でやるべきことを瞬時に判断して、最適解を選択できれば、とっさの反応が可能になります。それができなければトラブルが起きてしまいます。

## 頭の回転をよくして、行動に時間をかけない

「整理力」とは、判断力であり決断力でもあります。

総じて頭の回転をよくすることです。

**必要な情報を必要に応じて引き出し、「どうすればいいか」をすぐに判断できるよ**

**うにしておくことです。**

会話でも勉強でも、車の運転でもサッカーでも、あるいは料理などでも、基本は変わりません。得意な分野においては誰でも、頭をうまく整理したやり方がすでにできているはずです。

たとえば料理が得意な人は、料理を作るうえでやるべきこと、やらなくていいことを的確に判断できるのはもちろん、料理を作りながら片付けも進めていけます。

本を読むのが苦手で一冊がなかなか読み終わらないという人は、本を読むのも料理のようなものだと考えればいいのです。料理と同じように**「手順」を優先**して、「ここはいる、ここはいらない」と判断しながら大事だと思うところだけを読むようにしていきます。小説ではなく実用書などなら、そういう読み方をしても本の価値は失われません。速読とは異なる「セレクト読み」（138ページで解説）です。一冊全体を読み込もうとするのではなく、**書かれている情報を自分なりに料理する**つもりになればいいのです。

こうした考え方ができるようになると、何をするにも効率が違ってきます。

人は誰でもさまざまなところで頭の整理力を働かせているものです。たとえば、私は静岡県出身ですが、静岡県民は毎年、冬にはみかんが箱で届くので、パッと見ただけでどれが食べ頃でおいしいかの見当をつけられます（笑）。みかんに関して蓄積された情報が整理されているので、瞬時に、的確な判断ができるわけです。

こうして日頃から無意識に使っている情報整理能力を、会話なども含めた知的な活動に意識的に生かそう！　というのが本書のテーマです。

この本では頭の整理力を獲得するための「7つのルール」を示しています。

各ルールは、「頭の整理力」における 実践テクニック 日常トレーニング マインドセット のどれかに位置づけられます。

1. 常に優先順位を考え、「チェックボックス」を活用する　↓ 実践テクニック
2. メモを習慣化して、状況を「図化」して考える癖をつける　↓ 日常トレーニング
3. インプットとアウトプットは直結させる　↓ マインドセット
4. 要約力・アレンジ力を鍛えて、アウトプットをスムーズにする　↓ 日常トレーニング

5. 狩猟感覚でインプット・アウトプットする ↓ **マインドセット**

6. キーワード主義で「3の法則」を徹底する ↓ **実践テクニック**

7. 質問力をつけて会話の達人になる ↓ **日常トレーニング**

これらのルールを実践することで、情報整理をパターンとして身につけることができます。パターン化してしまえば、何も考えなくても、自動的に情報を整理しながらインプットでき、スピード、内容共にアウトプットの精度が上がるのです。

## モノの整理より「頭の整理」を考える

「断捨離」という言葉はすっかり定着した感があります。

いらないものは積極的に捨てていき、必要最少限のものしか持たないミニマリストを目指すのは現代的な生き方ととらえられています。

断捨離で行うのはモノの整理です。モノの整理は非常に関心が高いトピックで、さまざまな角度から言及されているのに、頭の整理についてはこれまであまり目を向けられていなかった気がします。

しかし、知的な生活をして、周囲からの評価を高めるためにも、頭の整理についても見直していく価値が大きいのは間違いありません。

**頭を整理すれば、心も整理されます。**あれはどうだったか、これはどうだったかと悩まなくなれば、感情が波打つこともなくなるからです。

話したいことがうまく言葉にできないといったもどかしさもなくなり、**勉強や仕事にも集中しやすくなります。**

頭の整理ができていない人は、効率のいい行動ができないので「ムダなことをする」、「勉強や仕事がはかどらない」ということになります。

自分の周辺にいらないモノはないかと考えるだけでなく、**「ふだん余計なことをしていないか」、「頭の中の取り出したい情報をすぐに取り出せているか」を自分に問いかけてみる**といいかもしれません。

ひとつのことをしようとしたときに、**ムダなことをしないで作業量が減らせていれば頭がうまく整理できている証拠**です。どんな質問をされても口ごもらず、とっさに言いたいことをうまく言葉にできる人も、頭が整理できているということです。

# 情報が整理できていれば、部屋は散らかっていてもいい

　モノがうまく整理できているのもすばらしいことなのでしょう。しかし、モノを整理する力と頭を整理する力は、本質的にまったく別種のものだと私は考えています。

　私の場合、実はモノの整理はかなり苦手です。というよりも、モノの整理の必要性そのものをあまり感じていないので、大学の研究室などはずいぶん散らかっています。

　机の整理ができない人は仕事ができない、という説もありますが、「そんなことはないのではないか」とも思っています。

　ミニマリストの部屋というと、ホテルの部屋に近いくらいモノが少なく、引っ越しをすることになってもバッグひとつで次の家に移れるというイメージがあります。それくらいシンプルにしていたほうが生産的だという見方もあることはあるのでしょう。しかし私のスタンスは正反対です。

　私の書斎などは、壁2面が本で埋め尽くされていて、テーブルにはいろいろな書類が置かれています。そういう中にいるからこそ刺激を受けられ、確かめたい本や資料

をすぐに手に取ることができるのです。

この本が見たいと思ったとき、それがどこにあるかがわかっているなら、どれだけモノが多くても問題はありません。それが整理されているということであり、私にとっての最適な環境です。


なんでも捨て、常にスッキリしているのもひとつの生き方なのだと思います。しかし私の性分には合いません。

あくまで感覚の問題ですが、読み終わったもの、使ったものをどんどん捨てていくというやり方をしていると、先細りになっていく気がするのです。

本にしても、電子書籍としてタブレットに入れてあるからいいという意見もありますが、いまひとつしっくりきません。やはり常に背表紙を見られて、同じジャンルの本をひとまとめにしておける紙の本とは、果たす役割が違ってきます。

もう一度読むという確証はなくても、手元においておくことで、先細りにならず、「知」を蓄えられる気がします。

**モノであふれていても、頭の中が整理できているならいいのではないか。**

それが私の考え方です。

うまく頭が整理できていれば、毎日やっていることのスピードとクオリティはまったく違ったものになっていきます。

本書でぜひ、「頭が整理された人」になり、人生の質を高めてください。

# 一瞬でできる！　頭の整理力◉目次

はじめに　0・5秒で最適解を見つける7つのルール……002

ルール1　常に優先順位を考え、「チェックボックス」を活用する……024
頭の整理は「優先順位」をつけることから始まる　026
アウトプットと優先順位　030
言うべきことが言えなかった！……とならないために　033
「箇条書き」「チェックボックス」「三色ボールペン」は情報整理の三種の神器　036
ミスをなくして複雑な作業を可能にする「魔法の四角形」　041

ルール2　メモを習慣化して、状況を「図化」して考える癖をつける……044
インプットにもアウトプットにも役立つ「メモ」　046
脳の奥深くまで手を入れるトレーニング　051

頭の中で状況を「図化」「MAP化」する 055
図化は思考を活性化させ、記憶の定着にも効果を発揮！ 060
情報を「図化」することのメリット 062
「できる人」のノートのとり方 066
ノートは、読み返すときよりも、まとめている段階が勝負！ 069
ノートによって、情報を捕まえる網の目を細かくする 073
情報を整理することで悩みも解決！ 075

## ルール3 インプットとアウトプットを直結させる 078

「ああ言えばよかった！」が引き起こす会話の不具合 080
知識を定着させるためのアウトプット 083
外国語を早く習得するための三原則 087
インプットとアウトプットの比率を近づける 089
「知ったかぶり」のススメ 091

「回転のいい問屋」をイメージする 095

## ルール4 要約力・アレンジ力を鍛えて、アウトプットをスムーズにする……100

5秒で話せる量を意識しておく 102
人生を変える要約トレーニング 107
アウトプットで最高の知的興奮を得る 111
文体も「型」のひとつ 117

## ルール5 狩猟感覚でインプット・アウトプットする……120

情報は、受け取るのではなく、捕まえにいく 122
アウトプットを前提にしないインプットには意味がない 126
「検索して終わり」にしないようにするには 130

「感覚のズレ」をコントロールするためのインプット 132
「あ!」というリアクションを大切にする 135
本を読むときも、狩猟感覚で「セレクト読み」する 138
良質なインプットをするためにできること 142
「アウトプットの達人たち」の流儀 145
大阪人の狩猟感覚 148
「ど忘れ」を克服するためのアウトプット 154

ルール6 キーワード主義で「3の法則」を徹底する 160

頭の中に浮かんだ言葉を〝エアで〟書いてみる 162
キーワードを見つける習慣で会話上手になる 168
マジックナンバーを生かした「3の法則」 174
「引用力」を活用しながら「語彙力」をつける 177
「書くのが苦手」も克服できる! 180

ルール7 質問力をつけて会話の達人になる …… 184
場面に応じて会話の流れを読む 186
「メタ視点」と「リフレクション」 190
会話やディスカッションの達人とは 194
「3球目攻撃」と「質問力」 196
質問力を向上させる方法 199
苦手な分野が話題になったときは 201
事前の準備はどうするか？　自分の意見はどうするか？ 203
日常的に会話のスキルアップに努めるには 207
自分という人間を整理しておく「偏愛マップ」 211
アウトプットを前提にしたインプット 215
おわりに …… 218

[ブックデザイン]奥定泰之
[イラストレーション]中村くみ子
[校正]星野由香里
[構成]内池久貴
[編集]小嶋優子

ルール1

# 常に優先順位を考え、「チェックボックス」を活用する

実践テクニック

Technique

**このルールのポイント**

□やるべきこと・言うべきことを箇条書きにし、チェックボックスをつける
□自分にとってその時点で何が大事なのか、意識する
□「これだけは言う」ということをハッキリさせる
□大切なことは最初に言う
□記憶を過信せず、なんでもメモする
□三色ボールペンを使って、メモの重要度を可視化する

# 頭の整理は「優先順位」をつけることから始まる

「頭の整理術」の基本は、常にものごとに優先順位をつけていくことです。

**優先順位として上位に挙げられることが複数あったとしても、一度にすべてをやろうとはしないで最上位のことを考えます。**

それができた段階であらためて最新の優先順位を見直して、やはり最上位のことだけを実行するようにします。その繰り返しを続けていく習慣をつけます。

つまり、自分にとってその時点で何がいちばん大事なのかを、常に意識しながら生活するのです。

そのために必要なルールが、**「やるべきことを箇条書きにし、優先順位をハッキリさせておく」**こと。そしてそれを具体化する方法が、何が終わり（☑）、何がまだなのか（□）がひと目でわかる**チェックボックス**を利用することです。

とてもシンプルな方法ですが、基本中の基本といえるテクニックであり、頭を整理する方法論がここに凝縮しています。

## なぜ選択を間違えてしまうのか

優先順位をつけられない人は、いざというときにも、何をやるべきかの選択を間違えやすくなります。

極端な例として、家が火事になったときのことを想像してみてください。家に赤ちゃんがいれば、赤ちゃんを外に連れ出すのが何より優先されるということは誰が考えてもわかります。しかしそれを忘れて家財道具を運び出すことから始めた人がいました。たとえ話ではなく、実際にあった話です。自分の子どもが大事ではなかったのかといえば、そうではありません。

**人は、気が動転してしまうと支離滅裂な行動をとってしまう**場合があるということです。

財布を落としたときを考えてみましょう。落としたのではないかと思われる場所に戻ってみる、交番に届ける、利用した交通機関の窓口に問い合わせるなど、すぐに取るべき行動がいくつか思い浮かびます。しかし、簡単に見つかりそうにないと思ったときには、まずクレジットカードを止める手配を優先すべきです。最も大きいダメージとして想定されるのが、クレジットカードの不正利用だからです。

どうすれば被害を最小限に抑えられるかを考え、その判断にもとづいて行動するのが大事だということです。

医者であれば、救急の患者が運ばれてきたとき、まずは何をすべきかを瞬時に判断しなければなりません。そこで判断を誤れば、助けられるはずの命を助けられないことにもなってしまいます。

こうしたケースに限らず、私たちはふだんから常にとっさの判断をしています。**取り返しのつかない判断ミスをしないためにも、日頃から優先順位を基準にして行動していく習慣をつけておくべきです。**

モノの整理であれば、収納庫の棚の区画ごとにしまうものを分けていき、必要に応じてフォルダに入れ、ラベルを貼っておけば、必要なモノを取り出しやすくなります。

頭の整理でも、同じようにフォルダ分けしてラベリングできればいいのですが、脳の中にはボックスがないので、残念ながらそうはいきません。状況に応じて必要な情報を、脳のどこかから取り出していくしかありません。

そのとき起きたできごとに合わせてケースバイケースで選択せざるを得ないわけです。その手引きとなるのが優先順位感覚です。

# アウトプットと優先順位

会話においても優先順位は重要な意味を持ちます。

「今日はあの人に会うから、こういうことを話そう」と漠然と考えていて、その人と会って別れてから、「あっ、あのことを話すのを忘れた！」となってしまうケースはよくあります。

そういう失敗をおかさないためには、**「これだけは言っておきたい」ということは自分の中で常にハッキリとさせておく**べきです。

あれも言いたい、これも言いたい（あれもやりたい、これもやりたい）という気持ちがあったとしても、**すべてやろうとは考えず、大事なことから押さえていく感覚**を持ち、それを習慣化しておきます。

『人を動かす』や『道は開ける』（ともに創元社）の著書で知られるデール・カーネギーは、著書の中で、「講演会が終わったあとに『あのことを話せばよかった』と思うのは正しいことだ」という言い方をしています。ここまで言ってきたことと一見矛盾するようですが、これは、時間の制約がある講演という機会においては、悪いことではないという意味です。

なぜなら、それだけ多くのことを話そうとしていたからです。私自身も、講演会が終わったあとに「あのことを言えなかった」という気持ちになる場合があります。

講演に臨む際、万全の準備を心がけるのであれば、10の話をしようとするのに対して10の材料を用意するのではなく、30、50、といったボリュームであらかじめ用意をしておきます。時間が余ってしまうのを防いだり、臨機応変に話題に変化をつけるためです。しかしそうしていれば、限られた時間の中ですべてを話し切ることができないのは当然です。言い残しが生まれるのは、それだけしっかりと準備できていたからだといえるのです。

ですが、「あの話はしないでこちらの話をすればよかった」と悔いることになったとすれば、最良の講演ができたとはいえません。自分の中で優先順位をハッキリさせせていたなら、そういう後悔のない講演ができていたはずです。

日常的な会話でも同じです。

会話を振り返って「あそこでこう話せばよかった」というリフレクション（反省的な考察）ができるのは、次につなげるという意味で悪いことではありません。だからといって、言いたいことを話せずに終わってしまうことは避けたいものです。

そうならないためには、どうすればいいのか？

**優先順位を考えながら話していく**ことです。

言うべきことから言っていく。これが原則です。

どんなことにも優先順位をつけておく頭の整理法は、**「適切なアウトプットができているか」**にそのままつながります。

## 言うべきことが言えなかった！……とならないために

テレビに出演すると、自分に振られた場面場面で「何を話せばいいか？」を瞬時に判断しなければなりません。

テレビの生放送で失敗しやすいのは食レポ（試食レポート）です。情報番組でもスタジオでの試食はたびたびあります。

パクリと口に入れたとき、熱かったり冷たかったりすると、「熱っ！」、「冷たい！」と声を発したり、驚いて黙り込んでしまったりする場合があります。リアクション芸人でもない限り、そういう反応を見せることには意味がありません。視聴者が知りたいのは〝どういう味がするか〟ということだからです。熱いか冷たいかといったことは見ているだけでも想像できるので、情報としては価値がありません。こうした場合は、まず「おいしい！」という言葉が絶対に必要です。そのうえで、味や食感など、どのようにおいしいかを伝える必要があります。

　情報には優先順位があり、必須事項があるということです。

　テレビの事情なんて関係ないと思われた人もいるかもしれませんが、**テレビに限った話ではありません。**似たことは、仕事の打ち合わせや就職のための面接などでもあるでしょう。

　たとえば結婚式の友人スピーチでも、長々と話していながら、肝心の「おめでとうございます」の一言が抜けていた、ということが稀に起こります。あってはならない大失態です。そんな事態をむかえてしまわないためには、たとえ他のことは忘れたとしても、「ご両家の皆様、おめでとうございます」だけは、第一声として発すると心得ておくべきでしょう。

　お通夜や葬式に出席して香典を渡す際にも「お悔やみ申し上げます」は必ず言わなければなりません。

「創立何周年おめでとうございます」などといった言葉にしても、前の人が言ったから言わなくていいことにはなりません。スピーチする誰もが口にすべき言葉です。

大事な言葉を言えずじまいになる失態を避けるにはどうすればいいか？

**大切なことを後回しにしたり、締めの言葉にしようとはしないで、優先的に話していくことです。**

それによって気持ちがラクになり、その先が話しやすくなります。

日常的な会話も同じです。

話しておきたいことから早め早めに口にしていく。

切り出しにくいことでも、なるべく早めに話す。

今日これから誰に会って話をする、とわかっているときには、**あらかじめ優先順位と必須事項（言い出しにくくても言わなければならないことなど）を確認しておく**ようにします。慣れていない人は、メモか手のひらにそれを書き留めておくのがいいでしょう。それくらい大切なことです。

# 「箇条書き」「チェックボックス」「三色ボールペン」は情報整理の三種の神器

## 「言い忘れ」「やり残し」を防ぐチェックボックス

では、このような優先順位思考を、日常生活においても徹底するためにはどうしたらよいでしょうか。

まず、自分がやるべきこと、話そうと思っていることについては、記憶力を過信しないで、**書き出しておくのが基本**です。

メモ用紙などに書き留めておいて、会話中に確認するのも不自然なことではありません。スマホのメモアプリやリマインダーアプリを使うのもいいでしょう。

**メモは、文章にするのではなく、簡潔にまとめて「箇条書き」にします。**

大切なことを整理して、把握しやすくするために有効なのが箇条書きです。

自分でわかるなら単語だけでもかまいません。単語だけでは何のことかわからなくなりそうなら「○○を△△」などと最低限のことを書き留めます。

目にした瞬間に迷わない程度の情報が示されていればいいのです。

**箇条書きにした項目にはチェックボックスをつけておきます。**

そして、実行するごとにチェック（☑）を入れていきます。不思議なことに、箇条書きにチェックボックスがついているだけで、それをこなそうという意識が格段に上がります。

私は、授業で話そうと考えていることについてもこのやり方を採用しています。チェックボックスをつけた箇条書きのメモを持っておき、授業を進めながら項目を潰していきます。そうすることで予定していたことを話しもらさずに済みます。

会議でもそうです。たとえばＮＨＫ・Ｅテレの番組『にほんごであそぼ』で、私は

20年近く総合指導を務めています。会議には必ず出席するので、これからどういう方向性で番組を作っていくかといった議題に関して、言うべきことをあらかじめ箇条書きにしておきます。そして会議の最中には「これは言った」とチェックしていきます。その場の流れによって意見も口にしますが、肝心な部分を伝えないまま会議が終わってしまうと、次の番組の方向性が定まらなくなってしまいます。それを防ごうとしているわけです。

## チェックボックス＋三色ボールペンが最強！

チェックボックスは日常の中でも使えます。

その日にやらなければならないことが複数あるときには「やるべきこと」を、誰かと会うのがわかっているときには「言うべきこと」を箇条書きにしてメモしておきます。そして、やったこと、話したことからチェックを入れていきます。

紙は、メモ用紙でもA４用紙でも、いらない紙の裏でもなんでもかまいません。

**チェックボックスをつけておくだけでなく、三色ボールペンを使って、とくに大事**

**な点を赤字にしたり、赤線を引いておくなどすれば、なお効果的です。**

実際に私はそうしています。

**すごく重要なことは赤色、次に重要なことには青色、重要かどうかというより個人的な関心があることなどは緑色**というように「色分け」します。

三色ボールペンがいかに役立つかということについては、これまでにもさまざまな場面で訴えてきました。三色ボールペンは、私の代名詞のひとつになっているほどです。

**三色ボールペンを使った色分けは、あとで見やすくなるだけでなく、その作業をしている時点で情報の処理をしている**——頭を整理していることにもなります。

私の場合、日々の仕事としてやるべきことはさまざまです。

大学の授業の準備をして、授業を行う。書籍などの企画を考え、必要な情報を整理して、原稿を書き進める。テレビに出演したり、講演会を行う。そのための打ち合わせをする……といったことが主たる仕事です。

ただし、大学に勤務していることもあり、雑用と括《くく》ってもいいような業務も多々あります。資料のコピー、経費精算、学生への連絡……といったことなどがそうです。

そういう雑用に関しては、週の始まりの月曜日にまとめてやってしまうことに決めています。それに関してもやはりチェックボックスを使っています。チェックボックスを作ってしまえば、ボックスにチェックを入れることで、一つひとつ項目が減っていくのが気持ちよく感じられます。早く潰していきたい心理が働くので、さくさくとこなしていけます。

そのため、ストレスも減らせるというのがチェックボックスを使うメリットのひとつです。できるだけさっさとすべてのボックスにチェックを入れてしまおうと考えていると、ゲーム的、機械的に雑用をこなしていけます。

それによって能率は上がり、ふだんより早く雑用から解放されます。

# ミスをなくして複雑な作業を可能にする「魔法の四角形」

最初からチェックボックスがついている手帳やシートを利用することはあっても、自分で四角いボックスを書く人はあまりいないのではないでしょうか？

箇条書きにしておけば、チェックボックスまでは必要ないのではないかと思われる人もいるかもしれませんが、1センチメートル四方の四角形が果たしてくれる役割は非常に大きいといえます。**「魔法の四角形」**といってもいいくらいです。チェックボックスのない紙にメモをとるときなどは自分でチェックボックスを書くべきです。

**人間の意識は静的なものではなく、流れていくものだと心理学者のウィリアム・ジェイムズも言っています。**

頭にひらめいたこと、あるいは、やろうと決めていることなどがあっても、そのすべてを記憶しておくのは困難です。頭の中に引き出しがあり、自在に出し入れできればいいのですが、そんなことができる人はなかなかいません。

**自分の記憶力を過信せず、やるべきことはわかりやすく可視化しておくべきです。**

ハーバード大学医学大学院のアトゥール・ガワンデ博士が書いた『アナタはなぜチェックリストを使わないのか？』（晋遊舎）という本があります。タイトルに惹かれて私も読みました。「チェックリスト（チェックボックス）を使うべきだ」というだけのテーマでなぜ一冊の本になるのかと不思議に思われるかもしれませんが、この本ではかなり深いところまでチェックリストの有効性が検証されています。

「複雑な構造の高層ビルはいかに安全に建てられるのか」

「飛行機はどうすれば安全に飛ばせるのか」

そうしたことを学ぶため、ガワンデ博士は各分野の専門家たちの話を聞いて回ります。それによって、最先端の分野においてもチェックリストがうまく使われているのを知ります。そしてガワンデ博士は、自分の専門分野である**「手術」にもチェックリストを取り入れます。**

それくらいチェックリストを使う意味は大きいわけです。

人間の限界を認めて、チェックリストに従うようにすべきだというのが著者の主張です。**「忘れずにやれる」と思っていることでも忘れてしまうのが人間だから**です。

同じような失敗を繰り返すのは怠慢のせいでもなければ、努力が足りないためでもありません。自分の記憶を過信せずチェックリストを活用するようにすれば、ミスを減らし、なくせます。

ガワンデ博士は**「チェックリストこそミスという名の病を治療する唯一の処方箋である」**とも言っています。

専門分野においてこうして活用されていることからもわかるように、チェックリスト（チェックボックス）を使うのは非常に実用的なやり方です。

これだけシンプルなことをするだけでも頭はずいぶん整理でき、日常的な失敗をなくしていけるものなのです。

明日からではなく今日からでも始められます。

ぜひ皆さんも始めてみてください。

ルール2

# メモを習慣化して、状況を「図化」して考える癖をつける

日常トレーニング

Training

**このルールのポイント**

□思いついたことはすぐに何かに書きつける
□スマホのメモ機能を利用する
□会議や会話中に「このことを言いたい」と思ったことをメモする
□一つのテーマに関して、必ず10個のアイデアを出す練習をする
□会話の状況をMAP化する
□相関図を書いて状況を可視化する
□聞いたことをあとで再生することを意識してノートをとる
□ノートをとるときに自分の視点をプラスする

# インプットにもアウトプットにも役立つ「メモ」

頭の整理力を高めるために、思考や記憶のメカニズムの観点から大きな意味があるのが、**「メモと図化の習慣化」**です。

ルール1で紹介した「自分のやるべきこと」をあらかじめ箇条書きにしておくことと同時に、**「思いついたこと」があれば、後回しにしないですぐに何かに書きつける**ことも習慣にしておくことが重要です。

何かをひらめいても、しばらく経つと忘れてしまったり、たいしたことではなかったように思えてくる場合があります。それによって、**そのひらめきをなかったことにしてしまうのは大きなマイナス**です。

思いついたことがあるなら、何かしらの意味があるはずです。だからこそ、重要かどうかと迷ったりはしないで、なんでもすぐにメモをしておきます。あとからメモを見直すことで、大きな成果が得られるケースはよくあります。

## 生涯に300万枚のメモを残したエジソン

発明王トーマス・エジソンもメモ魔でした。エジソンが生涯のうちに残したメモ類は300万枚に及ぶといわれています。エジソンは84歳で亡くなっています。仮に70年間、メモをとり続けたと考えるなら、年間のメモ枚数は4万枚以上になります。毎日100枚以上、なにかしらのメモをしていた計算になります。

どんなに些細なことでも、ふと思いついたことが発明につながるかもしれません。そのためエジソンは、常にペンを持ち歩くようにして、何かが頭に浮かべばすぐにメモをとるようにしていたといいます。そのうえ、書いたメモを見返すことも忘れなかったそうです。こうした習慣があったからこそ1000件を超える特許を残せるほどの発明ができたのでしょう。

ひらめきの一つひとつを大事にしたい思いが強かったので、常にペンと紙を携帯するようにしていたと考えられます。

現代であれば、**スマホのメモ機能を利用するのも便利**です。

実際に私はそうしています。なんでもかんでもスマホのメモに書いていくので、メモしている量は膨大です。

こうしたメモはしっかりとした文章にする必要はありません。思いついた単語やひらめきの断片だけを書きつけておけばいいのです。

ですがそれだけでも、何かエッセイ原稿を頼まれたときなどには、これらのメモをまとめるだけでさっと仕上げられます。

## メモは、「記憶」「整理」「発言」の3つに役立つ

アイデアとして思いついたことに限らず、**「このことを言いたい」という考えが浮かんだときにもすぐにメモをとる**べきです。

何人かで話しているときには、思いついたことを思いついた瞬間に口にできるとは限りません。会話には流れがあり、大人は会話の文脈を大事にします。**「いますぐではなくても言っておく必要がある」**という意味でメモをとっておくのがいいわけ

です。

会議などでもそうです。

私は会議に出席する前段階で言いたいことをメモしておくということは、すでに書きました。それだけではなく、**会議中に思いついたこともその場でメモしていきます。**それによって言うべきことはすべて会議中に言い切るようにしています。

取材を受けているときも同じです。取材中のメモは、一般的に質問者の側だけがしている場合が多いようです。回答者の側でも、思いついたことをメモするようにしておけば、より充実した取材になります。

こうしたメモはきわめて有用なのに、その習慣を持つ人は少ないようです。

**会議や取材に限らず、普通の会話の最中にもメモをする習慣は持つべきです。**

そんなことをしないでも言いたいことくらい覚えていられると思われるかもしれませんが、頭に浮かんだことを言えずじまいになるケースは案外、多いものです。

メモの習慣があるかないかで、驚くほど発言の質は変わってきます。メモは、備忘録的に役立つだけでなく、頭の中を整理することにもつながります。

**思いついたらすぐにメモをしておくと、考えを言葉にしやすくなるのです。**

私はもう40年以上、あらゆることに関してメモをとっています。その習慣によってメモはインプットにもアウトプットにも役立つと実感しています。

## 脳の奥深くまで手を入れるトレーニング

### 頭の中の深海魚を釣り上げる技術

こうした自分の経験から、「アウトプットしたいことをメモする習慣」は子どもの頃から習慣づけるべきだと私は思っているのですが、**日本人はなぜかインプットが好きすぎて、アウトプットの量が圧倒的に不足している**と感じます。

そこでアウトプットを多くするという意味でも、メモを使って、**「自分の頭の中で起こっていることを文字にする」**ということを練習するといいと思います。

たとえば、「○○に関する考えを10個列挙してください」と言われたときに、慣れていない人はなかなか10個は書き出せないものです。まったくイメージが浮かばない場合もあるかもしれませんが、もやっとしたものはありながらも、うまく言葉として取り出せない人も多い。2個や3個は書き出すことができても、それ以上は難しいと手を止める人もいます。

こうしたこともトレーニング次第です。「必ず10個、書き出す！」と妥協を許さないようにしてこそ、脳の奥深くまで手を届かせることができるようになります。5個くらい出してだんだん苦しくなってきても、そこからふんばって、もやもやとしたものをなんとか言葉という形にするのです。

私は10代の頃から運動部（テニス部）だったので、**限界までやるとなぜかエネルギーが湧く**ということに、信仰に近い強い信念を持っています。ほどほどで妥協するのではなく、限界だと思ったところから相当やれると思っているのです。ですから、たとえば素振りを1000回やろうとしたときに、100回くらいでだんだん疲れてくる、200回でいやになる、でもそこからさらに続けて500回になるともう疲れもどうでもよくなってきて続けられる——といった経験を何度もしているので、限界と思ったところからさらに絞り出せるという考えがあるのです。

大学で教える学生たちに30年ほどさまざまなトレーニングを課してきた経験からいっても、**要求が厳しいほど効果が高い**という実感があります。

これ以上は無理だというところであきらめさせず、絞り出させることで実になっていき、生産量が高まります。

たとえば学生3人か4人を一組にして、特定のテーマについてディスカッションさせます。順番に考えていることを話してもらい、一巡したら、こんどは、それまで出てこなかった意見をまた順番に言っていきます。これを、三巡目、四巡目……と、どんどん続けていきます。

一巡目は全員が考えていることを無理なく口にできても、二巡目、三巡目と、どんどん苦しくなっていきます。それでも絞り出させるようにします。

二十一巡したこともあります。二十巡目でくじけた学生が、二十一巡目で復活したのには感銘を受けました。

釣りをイメージしてみてください。最初は浅瀬を泳いでいる魚を難なく釣れていても、やがて、浅瀬の魚はいなくなり、簡単には釣れなくなります。そうなったときには徹底的に水底などを探って、隠れている魚をなんとか釣り上げるしかありません。

これは、そんな**頭の中の深海魚まで釣り上げるために、釣り糸をものすごく深くたらす訓練**なのです。

以前にテレビで深海魚釣りの名人を見たことがあります。他の釣り師たちは電動リールを使っていたのに、その名人は手の感覚にこだわっていました。

海の底まで糸をたらしていき、針と糸から伝わってくるわずかなアタリ（感触）も逃さず感じ取っていたのです。

深海魚を釣るためには、そのための針のおろし方があり、それをしたことがない人は、いざというときに深海魚を釣り上げることができません。

**同様に、ふだん浅瀬にあるような情報だけを出し入れしていると、脳の奥底にあるものを拾い上げられませんが、何がなんでも絞り出そうとすれば、脳の奥底にまで手を伸ばすことになります。そして、どんなことでもメモにとっておくアナログな習慣は、わずかなアタリも逃さず深海魚を釣ろうとする糸と針のようなものなのです。**

この感覚を日常的に持つようにすると、頭の整理が深いレベルで行えることになります。

## 頭の中で状況を「図化」「MAP化」する

複数の人間と話をしていたり、会議に出ていたりする際、もうひとつ心がけてほしいのは、**頭の中で状況を図化、MAP化していくことです。**

このことも頭の整理法の基本です。

**うまく会話を回していくのに必要なのは、全体を俯瞰する能力です。**

サッカーの試合では、試合に出ている選手よりスタンドからフィールド全体を見ている人のほうが試合の流れを掴みやすいものです。ベンチから試合を見ていた控えの選手が「どこに問題があり、どうするべきか」をよく理解しているケースは少なくありません。しかし、その控え選手がいざ交代で試合に入ると、とたんに状況が読めなくなることがあります。

それを教訓に考えればいいのです。

会話においても、**第三者的な視点で全体を観察するスタンスが大切**です。

別の例でいうなら、車にカーナビがついているかいないかの違いにも似ています。

カーナビがついていれば、いまどこを走っていて、どのポイントでどちらに曲がればいいかがわかり、スムーズに運転できます。会話をうまく切り回せる人は、それに似た感覚を働かせられているわけです。

逆に会話をうまくナビゲートできないのは、カーナビもつけずに慣れない道に紛れ込んできた他県ナンバーの車に似た状態になっているからです。

そうならないためにはどうすればいいか？

**いまどこにいて、どっちへ向かっていけばいいかを考えるためのMAPを自分で作る**ようにすることです。会議や討論中であれば、参加している人たちの相関図のようなものを作れたなら、カーナビをつけているのに近い余裕が生まれます。

## 「相関図」を作って状況を整理する

図を作るといっても大げさに考える必要はありません。

誰かがなんらかの意見を口にすれば、同調する人と否定的に感じる人とに分かれるものです。つまり「賛成は〇〇さんと△△さんで、反対は××さん」と分けるのが、もっとも基本的な図です。

もちろん実際は、もう少し複雑になることもあります。

Aという意見とBという意見があったとき、その場にいる誰がA派で、誰がB派なのかを分けられるほか、A派につくかB派につくかは決めきれず、A派に傾いている人、B派に傾いている人などがいるものなので、そういう状況を図化していきます。

それに加え、「Aの意見のメリットはどこにあり、デメリットはどこにあるのか？Bの意見のメリットはどこにあり、デメリットはどこにあるのか？」といったことも整理していきます。

やり方は3通りあります。

**①メモとして紙などに書き出す**
**②頭の中で図化する**
**③ホワイトボードを使ってその図をみんなに示す**

①と②は自分の中で考えを整理するため、③は議論や会議に参加している人たちみんなで解決策を探るための見取り図を提示するパターンです。

③の場合は対立を助長するのではなく、みんなが前向きにベストの結論を出すことを前提としています。

慣れてくると②のように頭の中で図化できますが、**慣れないうちは紙に書き出す①を基本**にします。

頭の中で考えていてモヤモヤしていたものも紙に書き出してみることでうまく整理できる場合が多いものです。実際に書き出すことで、「そうだ！　これはこっちだ」というように気がつく部分も出てきます。

こうすることで、出口が見つけやすくなるわけです。

話し合いの場では、
参加者のスタンスを図にすると全体を把握しやすい

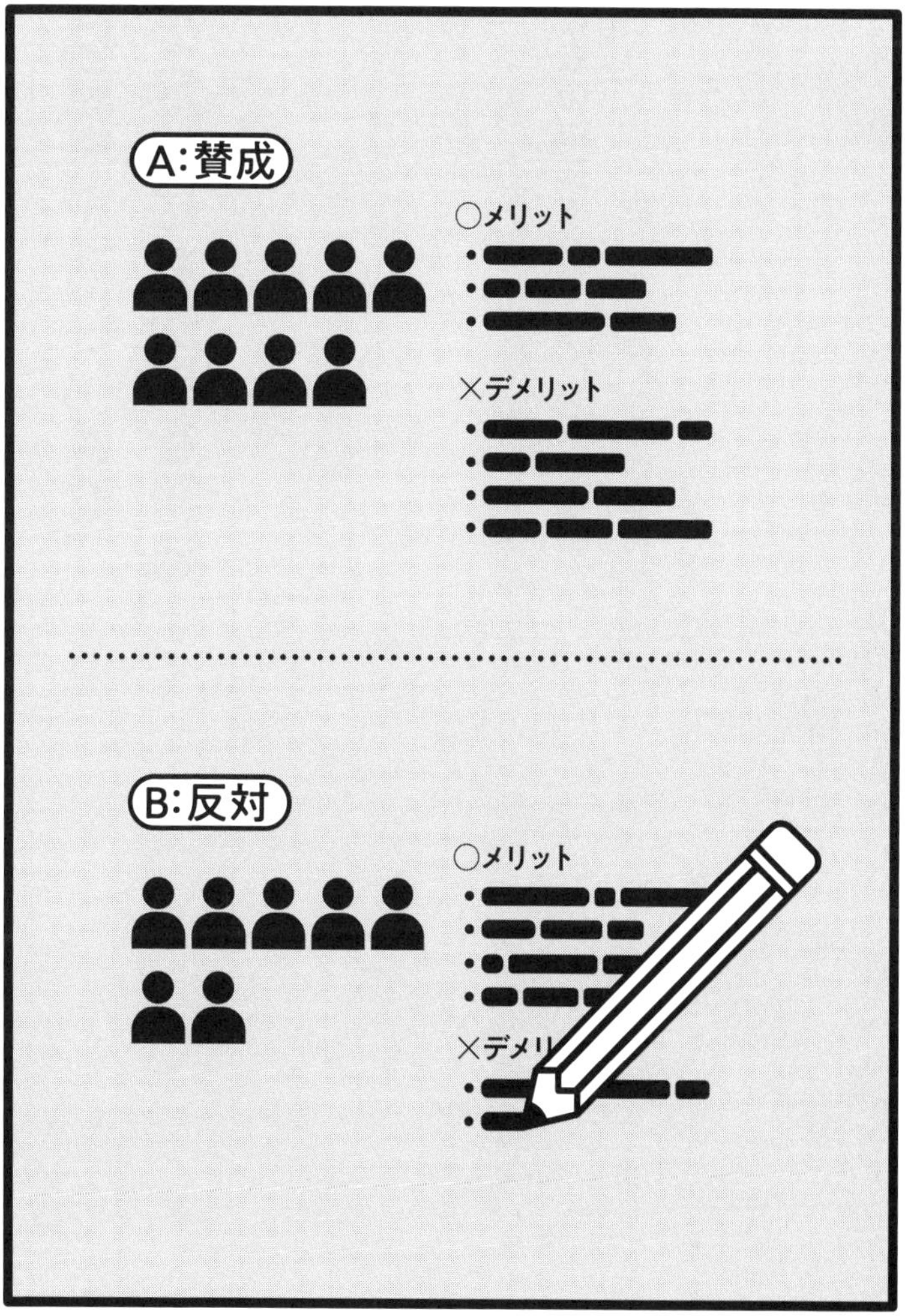

# 図化は思考を活性化させ、記憶の定着にも効果を発揮！

会話に限らず、複雑な状況を整理しようとする際にも図は役立ちます。

たとえば哲学を勉強しようとしたとき、哲学の歴史や系図のようなものをまったく知らないまま、手あたり次第、哲学関係の本を読んでいこうとするのは、**コンパスも持たずに森の中に入っていくようなもの**です。

それよりまず、思想の系統や哲学者の相関図などを図化して考えます。そうして全体を俯瞰《ふかん》したうえで、「どこからどのように学んでいくのがいいか」を決めてしまったほうが効率的です。

最近はさまざまなジャンルで解説書としての図解本が出ています。

文字だけで書かれたものより、視覚的に情報を捉《とら》えられたほうがわかりやすいので、ビギナーにとっての**コンパス的な役割**を果たしているといえます。

そうした解説書に載っているような図を自分で書くことを目指します。

私の授業でも、何かを図化させる課題はよく出します。テーマはいろいろですが、やはり人物相関図が基本になります。

試してみるなら、夏目漱石の『こころ』の主な登場人物の相関図を作る、といったところから始めてみるのがいいでしょう。『こころ』の登場人物は5人だけで、人間関係も入り組んでいるわけではないので、簡単に図にできます。

同じことをドストエフスキーの『カラマーゾフの兄弟』でやるのは大変です（登場人物が数十人に及びます）。そうした場合にはグループの共同作業として図化を試みることもあります。

こうしたトレーニングをしていれば、「哲学の流れ」といったやや複雑な図でも自分で作れるようになります。

簡単な図化から始めて、少しずつ複雑な図化に取り組むようにしていけば、じょじょに頭の整理がうまくなっていきます。

# 情報を「図化」することのメリット

「図解」と「図化」は意味合いが異なります。

「図解」は、本や講義で示されるプレゼンテーションのひとつであり、「図化」は、**情報を視覚的な「図」という形に自分で組み立てていく作業**です。

**図解は説明法で、図化は思考法です。**

完成された「図解」を示されると受動的になって思考は停滞してしまうのに対して、「図化」を試みることでは思考が活性化します。

図化する際に、特別な工夫をする必要はありません。要素として挙げられるキーワードやそこにいる人たちの名前などを挙げていき、矢印で結んだり、線で分けたりするだけでもいいのです。

縦軸と横軸の双方を使えば**「マトリックス図」**になります。

いちばんシンプルなマトリックス図は、何かの性格付けを4分割する際などに使われる、座標軸思考です。

たとえば、ビジネスで新商品の開発をしていたとします。横軸として、左側はポピュラーなもので右側はオリジナリティの高いもの、縦軸として、上は高価格の商品で、下は低価格の商品というように設定したとします。その場合、個々のアイデアをどこに置くかによって、「ポピュラーで低価格」、「オリジナリティが高くて高価格」などと分類していけます。

縦横の項目を増やしていき、リーグ戦の勝敗図のようになっているマトリックス図もあります。必要に応じてシンプルな図にもできれば、より多角的な見方ができる図にもできていきます。

図化する際に三色ボールペンを使うと、よりわかりやすくなります。

チェックボックスを作るときと同じで、**すごく重要なこと（強調したいこと）は赤色、次に重要なことは青色、何かしら気になるポイントなどには緑色を使う**ようにします。そういう色付けをしていくことで、視覚的に整理できます。

非常に大切なポイントがあります。

**人間の脳は、何かを記憶する際、自分の中で「重要な情報かどうか」を選択しています。それによってそれぞれの記憶が取り出しやすいものになるかが区別される、**そういうメカニズムがあると考えられているのです。

物忘れが多いのは、情報そのものは脳に格納されていても、取り出しにくくなっているからです。

そういう状態になるのを防ぐためにも、**情報はできるだけ視覚的なものにして、脳を刺激する**のがいいわけです。

言葉だけでなく**映像をイメージしながら覚えた情報は取り出しやすくなる**ともいわれます。こうした記憶のメカニズムを考えても、目の前の状況などを図化していく習慣をつけるメリットは大きいといえます。

# マトリックス図の例

シンプルなマトリックス図 ＝座標軸思考

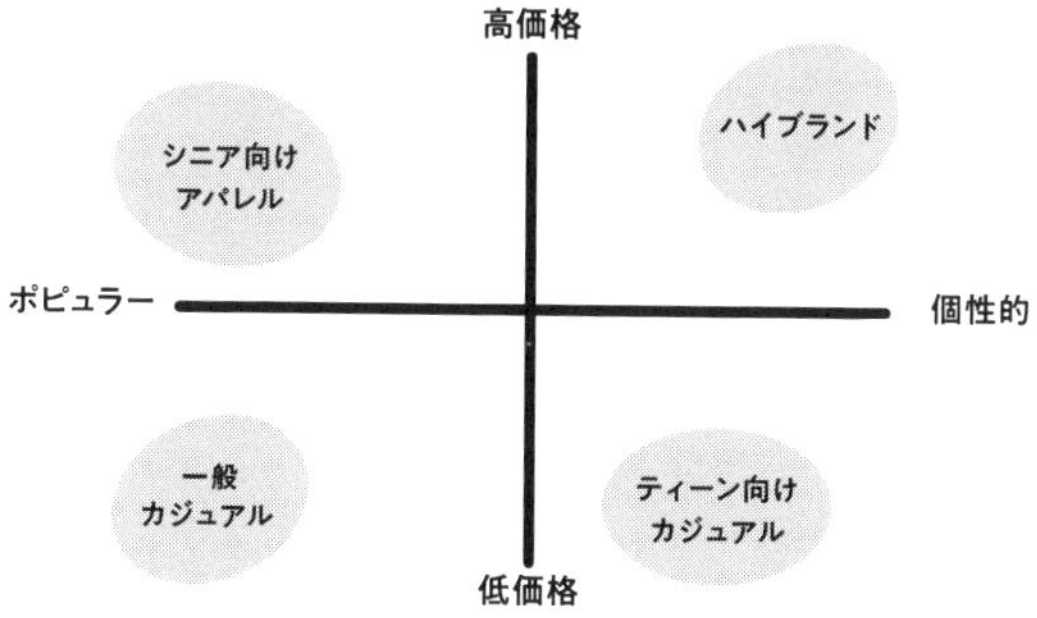


L字型マトリックス図

| | 価格 | コスト | 効果 | …… |
|---|---|---|---|---|
| Aの場合 | ◎ | × | ◎ | |
| Bの場合 | △ | ◎ | × | |
| Cの場合 | × | △ | ○ | |
| Dの場合 | ○ | ○ | ○ | |

## 「できる人」のノートのとり方

図化、ＭＡＰ化する力をつけるトレーニングになるのが、授業などでノートをとることです。

ノートをとるというのはメモの延長です。ノートをとるのがうまい人は、先生の話をうまく整理しながら図に近い形でまとめていきます。それができるようになると、ふだんの会話中にも、頭の中で図化できます。

中学生、高校生のノートは、先生が黒板に書いたことを丸写しにしている場合がほとんどです。残念ながらそのやり方では得られるものは少ないでしょう。

日本の学校では小学生のうちからノートをとることが指導されます。そのため、ノートをとるというと、先生が黒板に書いたことをそのまま写し取ることだと思い込んでいる人は多いものです。そこに誤りがあります。

**授業におけるノートは、板書を写し取るのではなく、教えられたことを整理していくためのものです。**

その部分の意識の違いが大学でハッキリとあらわれます。

どうしてかといえば、大学の授業では、黒板はあまり使わずに話をする先生がほとんどだからです。そうなったとき、何をノートに書けばいいかがわからなくなる学生は少なくありません。大げさではなく、ノートが白紙状態になっているケースもよく見かけられます。

一方で、先生の話を記録しようとするなど、何かしらノートをとっていく学生もいます。その場合にしても、先生の話しているすべてを機械的に速記していくのではなく、キーワードを抽出するなどの工夫が求められます。

個人個人の創意工夫が問われるわけです。

私が大学生だった頃、友人からノートを借りたことがあります。芸術的といっていいほどのまとめ方をしている友人もいました。大げさではなく参考書にも負けない仕上がりになっていたのです。

まず**全体がしっかりと構造化**されていました。「章→節（小見出し）→項（段落）」と分けて、まとめられていたのです。そのうえ図化されている箇所もありました。授業中、先生の話を聞きながら、そういうノートを作成できていたということです。世の中にはすごい奴がいるものだなあと驚かされたものでした。

東大生のノート術を解説するような本は何冊か出版されています。そうした本の中では**「インデックスを活用する」**、**「区切りをつけていく」**などといった法則が提示されているようです。誰かに教わったわけではなく、自然にそういうことができている人たちは、やはり学力を身につけやすいのは頷けます。

そこまでできるのは特殊な才能の持ち主なのかもしれませんが、自分なりにベストを尽くそうとすれば、それがトレーニングになります。

## ノートは、読み返すときよりも、まとめている段階が勝負！

ノートはあとから復習するためにとっていると考えている人が多いかもしれません。たしかにテストの際などにはノートを見返す人が多いでしょう。しかし、そこで勘違いをしてはいけません。

**ノートは、見直すよりむしろ、まとめる段階で力になります。**

比率でいえば10のうち6から8くらいはノートをとる行為自体に意味があります。そのことを学生に意識させたいと思ったら、次のようにすればすぐにノートのとり方が変わります。

**「この授業のあとに、授業の内容を要約して発表してもらいます」**

と最初に言っておくのです。

ただ単に授業に出席しているだけでは、授業後に、「そのノートを見ながらでもいいので、いまの授業の内容を短く要略して話してください」と注文しても、できる学生は少ないものです。

しかし最初から、授業（講演）のあとには要約の発表をしなければならないとわかっていたなら違ってきます。その場合はノートのとり方にも熱が入り、**自分で理解しやすいようにまとめながらとる**ようになります。その結果、ノートを見なくてもうまく要略しながら話せる学生が増えるのです。**あらかじめ再生する意識を持ってノートをまとめていれば、その段階で、それくらい授業（講演）の内容を整理しながら、記憶に定着させられるからです。**

授業でノートをとるのは、簡単なことではありません。初めて聞く話をしっかり理解しながらまとめていくのはなかなか大変です。だからこそ、それをトレーニングする効果は大きいわけです。

すでに学校を卒業している社会人であっても、ノートをとる練習はできます。テレビの講座やニュースなどを見ながらノートをとるようにしてもいいのです。自分が立ち会った会話をあとから振り返ってまとめてみたり、テレビで繰り広げられている討論などを図にしてみるのも面白いでしょう。

ノートという形式にこだわる必要はありません。かしこまって真新しいノートに向かうと、きれいにしたいという意識が強くなって作業を進めにくいものなので、いらない紙の裏などに気軽に書きつけていってもいいのです。

記録としてではなく、あくまで**頭のトレーニング**として行えばよいのです。

頭の中にある情報は、本棚やフォルダを使うときのように種類や性格ごとにきっちりと分けておくことはできないということはすでに書きました。明確な分類やラベリングができないからこそ、情報を整理する工夫が必要になります。

それがメモやノートであり図化です。

**脳の外側で「形」として整理しておくことで、頭の中も整理されます。**

図化する際には、コンピュータなどは使わず、**自分の手で書く**ようにするのもポイントです。

線1本を引くだけでも、考えながら手を動かすことによって脳が刺激され、思考力が働くからです。

手書きの図化を続けていると、やがて紙やペンがなくても、簡単なことなら頭の中で図化できるようになっていきます。

**頭の中で図化できるようになれば、思考の渋滞はなくなり、スッキリします。**

そうなっていくと、人と会話をしているときなどにもカーナビをつけているように話をナビゲートしていけるようになるのです。

## ノートによって、情報を捕まえる網の目を細かくする

ノートや図化も、魚（情報）を捕まえるのに似たところがあります。

自分なりに工夫してうまくノートをとれているなら、深海に潜っている魚を水面近くまで浮き上がらせて、一気に網ですくい上げるかのように情報を吸収できます。

聞いている話の要点をノートにまとめていくだけでなく、**「この話は自分のあの経験とつながるな」といった結び付け**をして、それをメモしておくのも有効です。疑問に感じたことなどをメモしておくのもいいでしょう。

**聞いた話をまとめるだけでなく「自分なりの視点」を挟み込んでいくことで、ノートという網は、新たな情報を逃しにくいものになります。**

ノートをとりながら、先生や講師は「どうしてこういう授業や講演の進め方をして

いるのか」と考えていくことも大切です。

そうすると、**話を構造的にとらえられる**からです。

先生や講師は、それなりの考えがあって、話の段取りを組んでいるものです。どうしてそういう段取りにしているかの意味合いを考えるようにするわけです。

大学では学生に授業をさせる形式の授業もあります。

先生役として授業をした学生は、授業内容については誰より深く理解して記憶に残します。**授業を受けるより、授業をするほうが学習効果が高い**のは間違いありません。先生役の学生は、授業内容を深く理解したうえで、どうすればそれをうまく伝えられるかまで考えて授業に臨むからです。

**授業を受けながらノートをとる場合にしても、授業の意図を汲み取るようにしていれば、それだけ吸収できるものが増えます。**

テストの点数が高い学生は、学力が高いだけでなく、出題者の立場に立って、どんな問題が出るかを考えられるものです。

それがつまり、**「構造を見抜く」**ということです。

ノートをとる際にはできるだけそうした視点をもっておくべきです。

## 情報を整理することで悩みも解決！

ノートの活用法はさまざまです。

授業や聞いた話をまとめるためにとる場合もあれば、メモと同じ感覚でアイデアを記録しておくためにも使えるというのは先にも書いたとおりです。

レオナルド・ダ・ヴィンチも多くのノートを残していることで知られています。デッサン的なノートもありますが、エジソンのメモと同じように、思いついたことを書きつけていく場合も多かったようです。そのメモを見返していくなかでアイデアをふくらませつつ、ノートへの書き込みを増やしていきます。それを発明や創造につなげていたわけです。

大学の数学科などでは、「パッド」と呼ばれる厚い紙の束が置かれているところが多いといいます。その意味合いもダ・ヴィンチのノートに近いといえます。最初からコンピュータに向かって取り組むだけでなく、頭に浮かんだことをまず紙に書きつけ、イメージを広げながら考えを立体化していきます。

「パッドがなければ、頭の中に浮かんだことを形にできず、成果につなげられない」と話す高名な数学者もいるほどです。


**何かの悩みがあったときや失敗をしてしまったときなどに、ノートに書いてみるのもいいでしょう。**


転職をしようかどうかと悩んでいるとすれば、頭の中であれこれ考えているのではなく、悩んでいるポイントをノートに書き出していきます。

「いまの会社がなぜ嫌なのか」

「新たにどういう仕事をしたいと考えているのか」

「転職した場合のメリット、デメリットはどういうところにあるか」

などといったことです。

転職したいという気持ちが衝動的なものだったとしても、そうして整理していくことによってデメリットもあることに気づいて冷静になれます。

営業や開発で失敗したことが転職を考える端緒になっているのだとすれば、「どんな失敗をしたか」ということをまず書き出して、「どうしてその失敗をおかしたのか」を段階的にさかのぼっていきます。

そのうえで「同じ失敗をしないためにはどうすればいいか」、「どうすればこの失敗を取り返せるか」を考えてノートに書いていきます。

そうしていくことで、**自分の考えが整理でき、悩みを解決できたり、同じ失敗を繰り返さない**ようになれます。

**状況を整理するというのは考えを整理することです。**

それができると、生き方に迷いがなくなります。

# インプットとアウトプットを直結させる

**このルールのポイント**

□反応速度を上げる（0・5秒で返す）
□インプットだけで満足しない
□得た知識をすぐに人に話す
□新しく知った言葉を実際に使ってみる（最低5回）
□よくしゃべる、よく間違える、よく笑う（外国語を習得する三原則）
□インプットとアウトプットの比率は10：7をめざす
□知ったかぶりでＯＫ！
□どんどん質問する
□本はさわりだけ読んでアウトプットしてもいい
□「旅の恥はかき捨て」精神でいこう
□回転のいい問屋になる！

# 「ああ言えばよかった!」が引き起こす会話の不具合

ふだん、日本語オンリーで過ごしている私たち日本人が、何かの機会に英語で会話しようとしたときに、「あ～、これ英語でなんて言うんだっけ?」「こういうとき、どういうフレーズを使えばいいんだっけ?」「喉《のど》まで出かかってるのに出てこない!」といったもどかしい経験をすることがあると思います。

このもどかしさ、英語の会話であればそれほど不思議ではないけれど、日本語でこうなってしまうとかなり問題になります。

「あの言葉がどうしても出てこない」というよりは、何か話そうと思っていた話題がそのときには出てこなくて、あとで「あ～、あの話をすればよかったんだ」と思う。単語のど忘れということではなく、その文脈にあった適切な話題、ネタが出てこない。

そうするとあとから「ああ言えばよかったなあ」ということになります。これは、そのときの会話の質が落ちるだけでなく、精神衛生上もいいことではないですから、私たちはできるだけそれをなくしたいと思うわけです。

## 会話において「老い」を感じさせるとき

会話をはじめとしたコミュニケーションでは、事前の準備が大切になるだけでなく、とっさの反射神経が問われます。

相手が持ち出してきた話題にどう反応して、どのように返していくか？

この感度が鈍くなると、年配の人などは「老いた」という印象を与えてしまいます。テレビでもそうです。昔から見ていたタレントを「この人も年を取ったなあ」と感じるのは、見た目や話の内容よりむしろ、反射、反応の遅さである場合が多いものです。

若い人であっても、反応速度によって印象が大きく左右されます。反応が速ければ「できる人」、遅ければ「できない人」と決めつけられてもおかしくありません。

**相手が振ってきた話題に対して、0・5秒くらいで的確な返しができるかどうか。**

秒単位ではなく、コンマレベルのスピードが勝負になります。

質問に対する回答を準備していたかどうかといったことではなく、とっさの対応力が問われる部分です。

それでは、どうすれば反応をよくできるのでしょうか？

それは、**インプットしてある情報を即座に取り出せるようにすること**です。

そのためにもっとも有効なのが、**インプットした情報は即座にアウトプットする習慣をつけておくこと**です。それによってインプットとアウトプットの循環はよくなり、反応速度がまったく違ってきます。

## 知識を定着させるためのアウトプット

日本人はインプットを重要視しすぎていて、アウトプットを軽視している傾向があります。

会話の問題だけではありません。

たとえば自分の職業とは直接関係ない資格を次から次へと取っていく資格マニアと呼ばれる人たちは、インプットに偏っている面があります。資格を取ろうとするのはもちろん悪いことではありません。しかし、取得した資格の数ばかりにこだわり、資格を生かそうとしていないとすればどうでしょうか？

それよりはむしろ、資格がなくてもあれこれやってみることのほうが評価できます。無資格でやってはいけないことをやれば違法になりますが、ここで言いたいのはそういうことではありません。アウトプットするつもりもなくインプットにばかりにこだわっていても仕方がないということです。

**インプットしたことは惜しまずアウトプットしていく。**

インプットできたことで満足していては、知識の持ち腐れになってしまいます。

「習うより慣れろ」ともいいます。

早いうちから積極的にアウトプットしていく姿勢を身につけておいたほうが、知識は吸収しやすく、発言や行動に直結させられます。

## 知識を自分のものにするためのアウトプット

かなりの本を読むなどして相当な知識を身につけているはずなのに、話してみると、少しも知的な感じがしない人がいます。

どうしてかといえば、読んで得た知識を日頃からアウトプットしていないからです。そうすると、インプットしているはずの知識が生かせなくなります。

本を読むだけで、そこに書かれていることが自分のものになるのか、その知識を自在に使いこなせるようになるのかといえば、そういうものではありません。

得た知識は、復習することによって、はじめて定着します。復習としてもっとも効率がいいのがアウトプットです。

- **学んだことは即アウトプットする**
- **できれば人に話すなどしてコミュニケーションに使う**

そうすることによってインプットした情報や知識は自分のものになり、その後も必要なときにアウトプットできるようになるのです。

こうした考え方は、頭の整理の基本です。

たとえばビジネス書を読んでいれば「ASAP（as soon as possible の略）」＝「できるだけ早く」といった言葉が出てくることがあります。

エーエスエーピーと読むほかにアサップという言い方もされますが、エイサップとは言いません。「なるほど、そうなんだ」と理解しても、いざ自分で使おうとすると、「あれ、アサップかエイサップかどちらだったかな？」となってしまいがちです。そうならないためには、最低限、アサップと口にしておくことです。ただし、それだけでは不十分です。口に出すだけでなく、**実際に使っておく必要**があります。

仕事の現場で「なる早でね。アサップでお願い！」というように誰かに言います。それによってASAPという言葉を自分のものにできます。使わないうちに時間が経っていくと、アサップだったかエイサップだったかの自信がなくなり、口にしづらくなります。

自分が口にしてみる以前に「アサップでお願いするよ」と言われた場合には、「はい、アサップを心がけます」とオウム返しするのもいいでしょう。

**言葉（単語）に関していえば、5回のアウトプットで口になじむ。**

それくらいの感覚でいたいところです。

ちなみに、初対面の人の名前を覚えるときも、会話の中で「○○さん、……」と使うと、覚えやすくなります。

## 外国語を早く習得するための三原則

慣れない言葉のアウトプットの難しさは、外国語で話す場合を考えればわかりやすいはずです。外国人に道を聞かれたときにうまく答えられないのは、ふだん英語を使っていないからです。

『YOUは何しに日本へ？』（テレビ東京）という番組に出ていたハンガリーの女性は、来日して、服飾品などを扱う店のインターンになり、まず覚えるように教えられたのが「とてもお似合いです」という言葉だったそうです。お店の人から接客時に絶対に必要な言葉だと教えられたといいます。しかし、実際は、うまく言えませんでした。お客さんがいろいろな商品を手に取っていて、いままさに口にするべきタイミングなのだとわかったときにも、言葉が出てこなかったというのです。

この人に限らず、外国語を習得しようとする際にはありがちなことです。そうなるのを避けるために、**早めにアウトプットをしておくべき**です。誰もいないところで何度も口にして練習するのもいいのですが、それだけでは十分ではありません。やはり実際に必要な状況において口にすることです。

何度もそうしていれば、そのうち自然に必要な言葉が口に出るようになります。

来日して3か月ほどでものすごく日本語が上達していた外国人に「どうしてそんなに早く覚えられたのか?」と聞いてみたところ、次のように教えられたことがありました。

**「よくしゃべる、よく間違える、よく笑う」これが外国語を習得する三原則だというのです。**

非常に理にかなった考え方です。

よくしゃべるのは基本として、間違えることを織り込み済みにしているのが重要なポイントです。間違いを恐れていると、どうしても口数が少なくなってしまうからです。笑うことでコミュニケーションが密になります。それによってアウトプットも潤滑に行われるようになるのです。

## インプットとアウトプットの比率を近づける

聞かれたことに対してしっかりと答えるだけの知識があるにもかかわらず、答えられない場合があります。

ふだんはテレビに出演することがない専門家（特定分野の研究者など）が解説者としてテレビ出演するときなどには、放送事故に近いアクシデントが起こるようなこともあります。

私も何度となく、そういう人たちと番組でご一緒してきました。リハーサルではすらすらと解説できていたことが、本番になると話せなくなってしまうのです。

緊張のために起こりやすい事故ですが、もうひとつ原因が考えられます。本番前に何度もリハーサルをすることで、「十分話した」という満足感を得てしまい、いざ本番では重要なことを言い忘れてしまうのです。入念なリハーサルを行う番組ほどそうなりがちなので、皮肉なものです。

本番ではなくリハーサルでベストパフォーマンスをしてしまうのは、**アウトプットに慣れていないから**です。スポーツと同じで、本番でこそ頭をフル回転させるアウトプットの練習が必要です。

皆さんも、**「自分の場合、インプットとアウトプットの比率はどうか？」**と考えてみてください。いまの世の中ではインプット偏重になっている人が多いので、10対1くらいになっていてもおかしくありません。それではアウトプットが苦手になるのも当然です。

常日頃から意識してアウトプットの機会を増やしていけば、おのずとインプットとアウトプットの比率は変わってきます。10対1だったのが、10対3になり10対5……となっていきます。

**インプットした情報をアウトプットする比率は10対6か10対7くらいを目指したいところです。**知ったことは次から次へと誰かに話していくようにしなければ、なかなかこの数字にはなりません。しかし、これくらいの比率になっていると、インプットをアウトプットへつなげる流れは目に見えてよくなります。

## 「知ったかぶり」のススメ

覚えたてのことを話すのは知識をひけらかしているようでみっともないと考えるのは、時代錯誤です。インプットした情報や知識を定着させようと考えるなら、そういう意識を持っているべきではありません。

清少納言の『枕草子』には、「聞き得たることをば、われもとより知りたることのやうに、こと人にも語りしらぶるもいとにくし」と書かれています。

聞きかじったことを最初から知っていたように話すのはみっともない、という日本的な考え方です。しかし、そう書いている清少納言がどうだったかといえば、アウトプットに対してかなり積極的だったのではないかという印象があります。

**少し聞きかじったようなレベルのことでも積極的にアウトプットしていく。**

日本人らしさといったことは気にせず、そういう姿勢を持っておくのが大切です。

私自身、ずっとそうしてきました。小学校1年生の頃からです。

「今日、学校でこういうことがあったよ」、「こんなことを習ったんだけど、お母さん、知ってる？　教えてあげようか」と家で話していたのです。その繰り返しによってアウトプットがうまくなっていきました。

小学生はこれをよくやりますが、中学校に入った頃からあまりしなくなります。

「今日、学校で英語のこんなフレーズを習ったんだよ」と続けていれば、アウトプットがうまくなるだけでなく成績も上がっていきやすいのにやめてしまいます。気恥ずかしくなったり、面倒に感じてしまうなど、理由はいくつか考えられます。

学校でも、自分から手を挙げるようなことが減ってしまうのは思春期の難しさです。

「はい！　はい！」と手を挙げるのは子どもっぽいとでも思うようになるのでしょう。

しかし、**家でも学校でも「知ってる、知ってる？　言わせて言わせて！」という姿勢を持ち続けていたほうがいい**のは間違いありません。

中学生、高校生といった時期にアウトプットの機会を減らしてしまうと、知識が定着しにくくなるので、非常にもったいない傾向です。

自分自身は中学生に戻れなくても、子どもがいるなら、できるだけ親と話しやすい環境を作ってあげるべきです。自分自身も手遅れとは考えず、**なるべく積極的にどんなことでも人に話す**ようにしてください。

## 「質問はありますか?」と聞かれたら必ず質問する

大学生でも消極的な姿勢が目立ちます。授業中に積極的に発言、解答しようとする学生は少数派。

中学時代や高校時代を通して消極的な姿勢で授業を受けるのが習慣化しているからなのでしょう。他の理由としては、目立ちたがろうとしているように思われたくない、間違えて恥をかきたくない、といったことなどが考えられます。

海外の大学生も同じように消極的なのかといえば、そんなことはありません。日本の大学に留学してきた海外の学生に「日本の学生はどうして先生の質問に答えようとしないのか？　わかっていないわけではないはずなのに……」という疑問を持たれることは多いのです。

授業中、先生が問いかけたときに誰も反応しようとしないで、シーンとしてしまうのも感心しません。大学では、外国人の先生に授業をしてもらうこともあります。外国人の先生は20分くらい話をしたあと、「何か質問はありますか？」と確認する場合が多いのですが、誰も反応しないことがよくあります。恥ずかしい状況です。こうしたときには**どんどん質問していくのが本来の光景**であり、そうであってこそ授業は盛り上がります。

間違いを恐れないどころか**「知ったかぶりと思われてもいい」というくらいの姿勢**でいたほうが、学力は伸びていきます。

## 「回転のいい問屋」をイメージする

清少納言とは逆に、兼好法師は『徒然草』の中でこう書いています。

「手のわろき人の、はゞからず、文書き散らすは、よし。見ぐるしとて、人に書かするは、うるさし」

字が下手でも遠慮したりはしないで、どんどん書いていくのがいい。見苦しいからと人に代筆させたりするのはかえって嫌味に感じる、ということです。

兼好法師がこのように書いていることから、恥ずかしがって人前で何かをしたがらないような人は昔からいたのがわかります。しかし兼好法師は、そうした考え方を美徳とするのではなく、むしろ欠点だと見なしています。

恥ずかしがらずにどんどんアウトプットすればよいのです。理想的なイメージをいうなら、仕入れた商品は次から次へと卸していく**「回転のいい問屋」**です。

本などを読んでいて学べるものがあった場合、まだ3割しか読んでいなかったとしても、学んだことから人に話していってもいいのです。

**インプットした情報はできるだけ早くアウトプットしていく。**

このルールは徹底してください。

特別な人でなければ、自分で生み出した新しい発見などはないのが普通です。数論における「ABC予想」を提起したり証明したりできるのは世界に1人か2人といったレベルです。大多数の人は「そういうものがあるらしい」ということを**情報として耳にするだけ**です。それでも調べれば、証明したと言われる望月新一教授について話すことはできます。

世の中のほぼすべての人は受け売りの情報しか持たず、その情報を披露しているのに過ぎません。だとしたら、**知ったばかりの情報を口にするのは恥ずかしいことでもなんでもない**わけです。

自分の考えを持つことが大切だとはいえ、聞いたことをそのまま話すのも自然な行為なので、どんどんやっていくべきです。そうした意識になれたなら、自分には知識が足りないといったコンプレックスを持つこともなくなります。

そもそも、そういうコンプレックスを持つ必要はありません。

誰と話しているかにもよりますが、話している相手がその話題のエキスパートだとは思っていないのが普通です。

最初から深い専門知識などは求められてはいないわけです。そうであるなら背伸びする必要はありません。

「最近聞いた話なんだけど……」

「ハッキリしたことはわからない情報なんだけど……」

と最初に言っておくのもいいでしょう。

**あらかじめエクスキューズをしておけばハードルは下がる**ので、正しいことを言わなければならないと緊張する必要もなくなります。

「旅の恥はかき捨て」という言葉があります。旅をしているときに限らず、恥をおそれる必要などはありません。

**恥という意識が強すぎると、学力に限らずいろいろな能力が伸びにくくなります。**

俳句や書道などをやっている人も、自分の句や書を人に見せていくようにしなければ、決してうまくはなりません。

中島敦の『山月記』の主人公である李徴は、羞恥心が強く、自分の実力を測られるのが嫌だったため、仲間と切磋琢磨をしないでいたので、自尊心ばかりを大きくします。その果てに自分を許せなくなって、自尊心に食われて虎になってしまいます。

李徴のようにならないようにするためにも、**自分からハードルを下げていき**、可能な限り積極的にアウトプットに努めるべきなのです。

## 得た知識は即アウトプット！

アウトプットの機会を増やすだけでなく、インプットしたことはスピード感を持ってできるだけ早くアウトプットする意識も強くするべきです。

**「今日知ったことは今日話す」**

そのくらいに心がけていれば、記憶違いを減らせます。

早ければ早いほどよく覚えているのは当然です。一度話したことは、二度目、三度目に話すときも間違えにくく、最初よりうまく話せます。

熱量の問題もあります。

たとえば私が学生に対して、四十年前に読んだドストエフスキーの作品についてなんとなく語れれば、どうしても新鮮味はなくなってしまいます。何度も読み込んでいるからこそできる話はありますが、長い間、読んでいなければ熱量は落ちてしまいます。授業の前にもう一度読み直してフレッシュな状態に戻れば、授業は盛り上がります。

本の感想などは、読み終わるのを待たず、**途中経過で話してもいい**くらいです。最近の例でいうなら、こういうことを言ってもいいでしょう。

「新型コロナウィルスの感染拡大で考えるところがあったので、カミュの『ペスト』を読んでるんだ。まだ途中なんだけど、〝ペストや戦争がやってきたとき、人々はいつも同じくらい無用意な状態にあった〟って書かれていたよ。歴史を振り返ってみても、人間ってやっぱり同じ失敗を繰り返していくものなんだね」

ｉｎｇ（進行中）だからこその熱量も伝わるはずです。

一度話したことは自分のモノになり、次にはもっと話しやすくなります。こうした積み重ねによって**インプットとアウトプットの循環**はよくなっていきます。

頭の中の情報が、出し入れしやすいように整理されていくのです。

ルール4

# 要約力・アレンジ力を鍛えて、アウトプットをスムーズにする

日常トレーニング

Training

**このルールのポイント**

□話は1分にまとめる
□要点を1つ話すのに最適な長さは15秒
□本や映画の感想を140字でまとめる練習をする
□まとめにはキーワードと数字を入れる
□名作を短くまとめてみる
□アウトプットの喜びはヤミツキになる
□「型」をアレンジして無限に新しいものを生み出す

# 5秒で話せる量を意識しておく

ルール3でインプットとアウトプットを直結させるということをお話ししましたが、アウトプットに関して注意しておきたい重要なポイントは、**長い話は嫌がられやすい**ということです。相手の気持ちが離れていかないようにするためには、話は簡潔にまとめておくべきです。

私がテレビに出演するようになった最初の頃、少し長いコメントをしたら、ばっさりとすべてカットされてしまった経験があります。

収録の番組では珍しくないことですが、それ以来、**コメントを短くまとめる意識**を強くしました。

基本的には15秒以内にしておき、状況に合わせて5秒くらいにまとめるコメントもします。5秒でも、それなりに意見などは口にできるものです。時計の秒針を見ながら話してみれば、5秒がバカにできないのはわかるはずです。

いまは、収録にはこうした姿勢で臨んでいるので、あるディレクターから「編集でカットせずに使われる打率がすごく高いです」と言われるようになりました。

ふだんから5秒を意識するかはともかく、**相手の気持ちを考えれば、話は1分以内にまとめるのが基本**です。

蛇口が閉まらなくなったように延々と話し続ける人もいますが、一方的に話していれば相手はうんざりします。

ものすごく面白い話ならともかく、そうでなければ「いい加減にしてほしい」と思うのが普通の感覚です。

そうした心理はよく理解しておく必要があります。「あの人は話が長い」という印象を持たれると、人に避けられるようにもなりかねません。

逆に言えば、短く話をまとめられる人は、アウトプットできる機会が増える、ということです。

## トレーニングとしての「15秒プレゼン」

私はよく学生にスピーチやプレゼンの練習をしてもらいます。その際には必ず時間を設定します。授業でもそうですが、スピーチの経験が少ない人などは、やはりまず1分を目安にするのがいいでしょう。

1分あれば、起承転結をつけながら、説明したいことはおよそ説明できます。話が面白くなかったとして、**相手がなんとか聞いてくれるのも、だいたい1分くらいまで**です。つまらない話が2分以上続けば、相手はこれ以上は聞きたくないとなっていき、気分を害します。そうならないためにも、話したいことを1分にまとめて話すトレーニングを積んでおくようにします。

**私が学生たちによくやらせているのは「15秒プレゼン」です。**

15秒では何も話せないのではないかと思うかもしれませんが、そんなことはありません。仕事などでも「結果を報告しろ」と言われたとき、報告すべきことを適切にまとめればそのくらいの長さにおさめられます。

「契約できました」、「断られました」という結果だけでなく、最低限の経緯や契約内容などを報告できます。そのうえで、さらに質問を受けたときには、それに対する説明を付け加えればいいのです。

**15秒は「要点をおさえて、不要なことを除いて話す」にはちょうどいい長さ**だと覚えておいてください。

クラスで40人の生徒に1人ずつ、15秒ずつプレゼンさせれば10分ちょっとです。15秒と決めておくと、余計な前置きは省かれ、その人が話したいことのすべてがギュッと詰まったプレゼンになるので飽きません。誰の話にもムダがなく、この10分は充実した時間になります。

授業ではなくても15秒プレゼンはいつでもやれます。

親でも友達でも、聞いてくれる相手がいれば何よりですが、パートナーがいなくても大丈夫です。スマホのストップウォッチ機能などを使って、きっちり15秒で何かを伝える練習をすればいいのです。好きな映画や本などをテーマにするとやりやすいはずです。やってみれば、15秒でも意外に多くを語れることに驚くはずです。

**15秒以上話したいことがあっても15秒にまとめる。**それがトレーニングになります。ルール6（160ページ）で詳しく説明しますが、話をするときはキーワード（ポイント）を3つに絞るとわかりやすくなります。15秒プレゼンをする場合にもこの意識が大切です。

15秒しかないのにポイントが3つもあれば話がまとまらないのではないかと疑問を持たれるかもしれませんが、そんな心配はいりません。たとえば好きな映画について話すとなったとき、何を話せばいいかがわからなくなる人でも、3つの観点から話せばうまくまとめられます。「監督がいい」「俳優がいい」「特撮がすごい」といったことに簡潔な説明を加えてつなげれば、だいたい15秒になります。

時間があるなら、3つのポイントそれぞれを15秒で話し、まとめ含め計1分でプレゼンすることもできます。同じ15秒でも、要点がはっきりしなければ、まったく記憶に残らないものになってしまいます。キーワードがあれば別です。大事な部分がわかりやすく示され、印象の残り方がまったく違ってきます。

# 人生を変える要約トレーニング

文章の「要約」をすることも力になります。

**毎日のトレーニングとして最適なのは、読んだ本や観た映画の内容などを要約することです。**

テーマは今日1日の出来事でも構いません。その場合は日記に近いものになりますが、目的はあくまで要約です。

それをハッキリさせるためにも、自分で「文字数」を決めておくのがいいでしょう。「本の内容」にしても「1日の出来事」にしても、**40字以内、あるいは100字以内といった設定文字数でまとめることを自分の課題**にするわけです。

SNSでこれに近いことをやっている人は多いと思います。

「できるだけ簡潔にまとめる」という意識でやっていた人でも**明確なルールを設定**す

る方がよいでしょう。

たとえばツイッターには140字以内という基本設定があるので、**「100字の要約＋40字の感想で140字にまとめる」**と自分で決めます。

文字数制限のないブログなどでも同じようにルールを設定すればいいわけです。実際に投稿するかは問わず、こうした作業を日々、自分に課すようにすれば、いいトレーニングになります。

先日、10本の映画のDVDを観て、各80字感想を書くという仕事を依頼されました。印象を端的に書くことが求められます。

**要約のポイントはキーワードを打ち出し、できるだけ数字を入れることです。**

キーワードの大切さについてはルール6でもあらためて解説します。キーワードがしっかりと打ち出されていれば、全体がぼんやりしないで話の焦点を掴みやすくなります。

何かしらの数字があれば、話に具体性が出て説得力が生まれます。

キーワードと数字があれば、印象が強くなり、記憶に残りやすくなるわけです。

**要約と似て非なる作業としては「縮約」があります。**

内容などがわかるように短くまとめるのはどちらも同じですが、**縮約は、自分の言葉でまとめるのではなく、元の文章を生かしてまとめます。**削れるところを削り落とし、何分の1かの長さにします。全体を圧縮するようにしてダイジェスト版を作る作業です。

縮訳の練習としては、インターネットに出ている記事をコピーしたうえで、いらない部分を削っていって、要点を押さえながらつなぎ合わせていくやり方があります（その縮訳をどこかに載せれば無断引用になるので、あくまでトレーニング用です）。

青空文庫などから名作短編小説をコピーして、同じように作業してみるのもいいでしょう。たとえば芥川龍之介の『羅生門』を部分的に削っていくことで3分の1にして、内容や味わいをそこなわない縮訳にできるかを試してみます。

名作に対してそんな作業を施すのはおそれ多いという感覚になるかもしれませんが、あくまで著作権が切れたテキストを教材にしてのトレーニングです。

こうした鍛錬を積んでいけば、残さなければならない大事なポイントはどこかを見誤らなくなります。

短くまとめた話の中でも、重要なことはしっかりと伝えられるように全体を構成する力がつけられます。

実生活でもしばしば、要約力が問われる場面が出てきます。

先にも挙げたように、仕事の経過報告を求められたときや就活中の面接で「どんな大学生活でしたか?」と聞かれた場合などもそうです。

とにかく簡潔にまとめるのを前提にしたうえで、内容がない話にはならないようにします。

## アウトプットで最高の知的興奮を得る

ＳＮＳへの投稿などによって、いまは誰でも、自分が書いたものを世間に向けて公開できます。

世間的に注目を集めて本として出版されるようなこともあります。

そういうチャンスを求めるかどうかは問わず、ＳＮＳなどに自分の書いた文章を発表するのはいいことだと思います。それもアウトプットのトレーニングです。

**アウトプットほど知的興奮に震えられる行為はありません。**

文章でもスピーチ（プレゼン）でもそうです。

自分が発表したこと、話したことに対して反応があれば、他の興奮とは比べられない喜びがあります。

人前で何かを話す場合は、反応が直接確かめられるので、ウケたときには興奮が頂点に達します。

私が教えている学生も、何十人かの前で何かの発表をしたあとはその興奮がヤミツキになり、「また話したい気持ちになる」と言います。

最初は緊張で体がプルプルと震えていても、すぐに突き抜けられます。

相手が大人数ではなくても、自分が話していることなどで何かしら人からの反応があるのを確かめられたなら、他では得難い喜びや興奮があるものです。

**知的好奇心から知的興奮が導かれると、知的好奇心がさらに高まります。それによって情報や知識の出し入れも活性化していきます。**

頭の整理が進められるということです。

## 「型」をアレンジして新しいものを生み出す

いい反応を得るためには、**アウトプットの質を高める努力が必要**なのは当然です。

いいもの、面白いものを書けるようになる、話せるようになるためには貪欲な姿勢を持つ必要もあります。

自分なりのオリジナルを生み出せたならベストですが、ひとつの方法論として挙げるなら「アレンジ」という手法で、オリジナルに近いものを生み出すこともできます。

古典芸能である能もそうです。

能は「現在能」と「夢幻能《むげん》」に分けられます。

夢幻能の場合は、霊的な存在が主役（シテ）で、名所旧跡を訪れる旅の者（ワキ）の前にまず人の姿で現われます。そしてその地にまつわる話をしたあとに消えてしまい、中入《なかいり》のあとの後場《のちば》で霊的な姿となって再登場します。クライマックスには舞によって怨念をあらわし、成仏していくパターンが基本です。

この夢幻能は、**型ができあがっているので、あらゆる物語をあてはめることが可能**です。夢幻能は世阿弥によって完成したといわれています。こうしたパターンを創りあげたことで現代にまで引き継がれているわけであり、今後もすたれていくことは考えにくいところです。

## 「コーンフレークやないかい！」は「行ったり来たり型」

型と言えば、２０１９年末のＭ－１グランプリで歴代最高得点を出して優勝した**漫才コンビ・ミルクボーイの「コーンフレーク」というネタ**を見たことがある人は多いと思います。

いまさら解説の必要はないでしょうが、簡単に説明しておきます。

ボケ担当の駒場孝さんが「うちのおかんがね、好きな朝ごはんがあるんやけど、名前を忘れたらくして」と切り出し、ツッコミ担当の内海崇さんが「一緒に考えてあげるから、特徴を教えてみてよ」と返すことから始まる漫才です。

「甘くてカリカリしてて、牛乳とかをかけて食べるやつやって」と最初の特徴を挙げられて、「コーンフレークやないかい！」と、すぐに答えが出せたかと思われますが……。「死ぬ前の、最後のごはんもそれでいいらしいわ」と聞いて、「ほな、コーンフレークちゃうか……」と展開していきます。「コーンフレークの側でも、最後のごはんに任命されたら荷が重いやんか」と毒が吐かれるのもポイントです。

こうしたやり取りを繰り返していきながら、コーンフレークの特徴を面白おかしく語っていきます。

松本人志さんは**「行ったり来たり漫才」**と評しましたが、それがミルクボーイが生み出した**新しい型**です。

「答えがわかっている謎解き」という型ができあがっているので、お題であるコーンフレークはさまざまなものに置き換えられます。

名前を忘れた思い出の場所、名前を忘れた動物……などというようにさまざまなバージョンが披露されています。

**「型」に何かを入れれば「新作」ができるのですから、ネタの量産が可能です。**

コーンフレークだけでなく、他の漫才コンビがパクリ芸としてコーンフレークのアレンジバージョンをあえてやってしまうケースもありました。

ミルクボーイがそれを公認し、世間が受け入れたとしたならどうでしょうか？

コーンフレークは漫才の定型のひとつとなり、時代を超えていろいろな漫才師に演じられていく可能性もあります。ご存知のように、最近はCMにもなりました。

**「型」を作り出すことのすばらしさは無限のアレンジを可能にする点にあります。**

私はさっそくこの型をお借りして、授業で学生にやってもらいました。「年号の語呂合わせ」を自分で考えたりすることの発展型です。

「それは三権分立やないかい！」

「あれ、三権分立とちゃうか」

などと**知的な言葉遊び**ができていきます。こうした楽しい会話の型は、教育現場に取り入れてみてもいいのではないかと思っています。

## 文体も「型」のひとつ

型を踏襲して新しいものを生み出しているユニークな例として、『ソクラテスの弁明　関西弁訳』（北口裕康訳）、『仁義なきキリスト教史』（架神恭介著）といった書籍があります。この2冊は著者もテーマも異なりますが、性質には似たところがあります。

前者はタイトルどおりで『ソクラテスの弁明』を関西弁で翻訳したもの。後者はキリスト教の歴史をヤクザの抗争に見立てて広島弁で紐解いていくものです。

『仁義なきキリスト教史』では、「おやっさん、なんでワシを見捨てたんじゃ〜！」とイエスが絶叫したりしています。純粋なキリスト教徒であれば眉をひそめるかもしれませんが、パロディ作品としてはよくできています。『仁義なき戦い』のファンである私も、エンターテインメントとして楽しめました。

広島弁は迫力があり抗争に向いているうえ、活字などにすると、それを話す人物のキャラクターが形成されます。

これをたとえば、私の出身地である静岡の方言でやれば、まったく違った性格を帯びます。「おとーちゃん、なんであんた見捨てたりしただかねえ」などとちびまる子ちゃんのように力が抜けたものになっていきます。

こうしたときには組み合わせの妙が問われるものです。

『論語』を京都弁でやれないか、『ロミオとジュリエット』を青森弁でやれないか……などと考えていくこともできます。

組み合わせ次第で可能性はどこまでも広がります。

とにかく大切なのは、日々の心がけであり習慣です。

要約力にしてもトレーニング次第なわけですが、毎日の生活の中でもしばしば要約力が問われる場面が出てきます。

先にも挙げたように、仕事の結果報告を求められたときや就活中の面接で「どんな大学生活でしたか？」と聞かれた場合などもそうです。

簡潔にまとめるのを前提にしたうえで内容がない話にはならないようにする必要があります。

大げさでなく、それができるかどうかによって人生が左右されることもあります。

**「インプット即アウトプット！」、「アウトプットは簡潔に！」**

いざというときに備える意味でも、日頃からこうした意識は強くしておき、トレーニングを欠かさないようにしましょう。

ルール5

# 狩猟感覚でインプット・アウトプットする

頭の整理

Mind set

**このルールのポイント**

□情報は、獲物を捕まえる感覚で聞く
□捕まえた情報は、一度話していつでも食べられる「干物」にしておく
□耳にしたことを話さずにいられないのは、人間の本性
□インターネットで検索した情報を、誰かに説明する
□内容だけでなく、感覚をインプットする
□「あ!」という触発される感覚を大事にする
□本は、必要なところだけ「セレクト読み」する
□インプット↓アウトプットの100本ノックをする
□10聞いたことを20、30にするアウトプットの達人を目指す
□大阪人の会話における狩猟感覚を取り入れる
□新時代の「ツッコミ」感覚を取り入れる
□ど忘れを防ぐためにアウトプットする

# 情報は、受け取るのではなく捕まえにいく

頭を常に整理しておくためには、情報をアウトプットするときだけでなく、インプット自体を意識的に行う必要があります。

日々流れていく大量の情報を、ぼーっと眺めているだけでは、効果的なインプットはできません。情報は、**積極的に捕まえにいく心構え**を持っておくべきです。言うなれば「狩猟感覚」です。

**〝聞いたことは絶対、誰かに話してやる！〟**

人の話を聞くときも、そういった心構えで聞いていると、内容の定着率が上がりますし、整理力も発揮されます。

たとえばテレビで腰痛にいいというストレッチが紹介されていたとき、なんとなく見ていて、今度やってみようかなと思ったなら、大抵はそれで終わってしまいます。

テレビで実演されているなら、それに合わせて自分もその場でストレッチをやるべきです。注意点が説明されたら、その注意点を誰かに伝えるつもりで復唱します。そして実際に**その日のうちか次の日などに誰かにそのストレッチを教えます。**

私は、大学生だった頃から、講習会などに行けば、そのあとすぐ、聞いてきた話のほとんどすべてを友達に話すようにしていました。うまく伝えられたときには「自分でも同じ講習会ができるな」と思っていたほどです。

それは特別なことではありません。

**そんなふうにはできないと思うのは、そうする前提で聞いていないからです。**

自分も誰かに話すというつもりでいれば、誰でもそういうことができるものです。

## 一度話すと、情報を「干物」にして保管できる

私は授業の中で学生たちに、「インプットした情報をどれくらい正確にアウトプットできるか」を測るための伝言ゲームを行うことがあります。

いくつかのパターンがあり、私が話したことを要約して別の学生に伝えさせるやり

方もあります。これがうまくできた学生は、私の話がその学生の持ちネタのようになることがあります。**一度自分で要約して話したことは、情報が整理・咀嚼《そしゃく》され、また再現できる**ものだからです。つまり、**その情報は、いつでも取り出せる状態で保管される**、ということです。

私はこの状態を**「魚の干物」**にたとえます。

魚を釣ったら新鮮なうちに捌《さば》いて、いらないところをとりのぞき、塩につけたりして、開いた状態の干物にしてしまいます。こうしておけば、おいしさを保ったまま、いつでも食べられるように保存がききます。

私は静岡県の出身なのですが、実家では、駿河湾《するが》の魚を干物にしたものがよく食卓に並びました。駿河湾はたいへん深い海なので、沼津港の近くでは、珍しい深海魚など、100種類くらいの干物が店頭に並んでいます。情報のインプットとアウトプットとは、この干物のようなものだ、と考えてください。

まず、**情報を、「誰かに話してやる!」という気持ちで捕まえてくる(インプット)**。そして、**その情報を加工していつでも取り出せる形にする(アウトプット)**。

これをふだんから意識すると、頭が整理された状態が保てます。

情報は、鮮度のいいうちに「干物」にして保存しておこう！

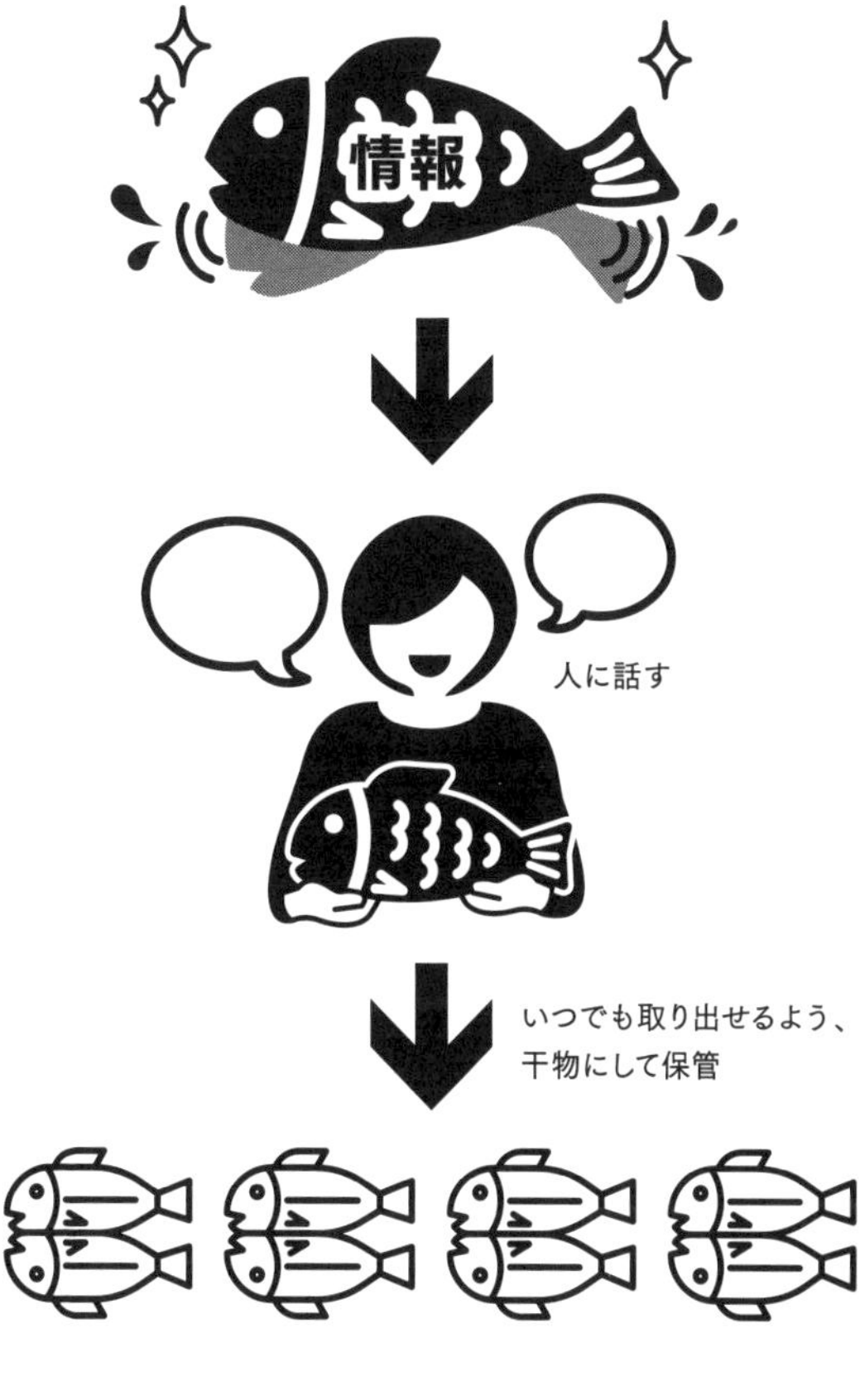

## アウトプットを前提にしないインプットには意味がない

私自身、中学校時代から伝言ゲームに近いことを意識的にやっていました。仲のいい友達がいたので、その友達とのあいだで、聞いた話、読んだ本、観た映画などの内容をお互いに伝え合っていたのです。

その当時、私が友達に話したヒッチコックの『レベッカ』のあらすじなどは、いまでもかなり細かく覚えています。

その友達とは大学も大学院も一緒だったので、同じことをずっと続けていました。15年くらいはほとんど毎日、そうしていました。そのため、何かを聞いたり見たり読んだりすれば、友達に話すのが自然な感覚になっていたのです。

**インプットしたことはアウトプットするのが当たり前になっていた**ということです。「はじめに」では子どもの頃から頭の体操ができていたと書きました。それは、学校で起きたことをなんでも親に話していただけでなく、この友達に話していたことも大きかったのです。

こうした習慣があると、ぼーっと話を聞く、ぼんやりと見ているということがなくなるので、多くのことが記憶に定着します。

**映画を観ていれば「このシーンはすばらしいから誰かに伝えたいな」と思い、本を読んでいれば「ここは引用したいな」といった気持ちになります。**

ふだんから常に狩猟感覚に慣れていたということです。

そういう状態になっていると、アウトプットがスムーズになることも実感できていました。だからこそ大学で教えている学生たちには**「とにかくアウトプットすることを前提にインプットしていくように」**と話しているのです。

私の場合、金土日曜と3日間、特別な予定がないまま過ごせば、そのあいだにいろんなものを読んだり見たりします。そうすると、インプットした情報が溜まりすぎて、早くアウトプットしたくてたまらなくなります。そのため、月曜の午前中には授業を組んでいます。

月曜の授業で一気に吐き出すと、学生からも「先生、だいぶ溜まってましたね」と言われるほどです。

こうしたときの私は、しゃべらずにはいられなくなっています。

私が特別なのかといえばそうではありません。

**何かを知れば、しゃべらずにいられなくなるのが人間の本性です。**

「誰にも言っちゃダメだよ」と秘密を聞かされた際、話さずにはいられなくなるのと同じです。

『王様の耳はロバの耳』というギリシャ神話を題材にしたイソップ童話があります。タイトルどおり、王様の耳がロバの耳だということをある理髪師が知ってしまう話です。秘密を言いたくて仕方がない理髪師は土に穴を掘って「王様の耳はロバの耳〜！」と叫びます（井戸に向かって叫ぶパターンもあります）。そうすると穴から生えてきた葦《あし》がその秘密をささやきだして、風に乗って広がり、やがて国中に知られます。

いまの世の中でいえば、深くは考えずにインターネットで呟《つぶや》いたことが世界中に広まってしまうのとも似ています。

人は本来、耳にしたことは話さずにいられないものです。

話してしまうことで気持ちがすっとします。

日本の中等教育は、受動的に授業を聞くのが中心になりがちでした。それによってインプットしたことをアウトプットするという回路が断ち切られてしまっているといえます。

中学校、高校で45分間の授業があったとき、先生が40分も話しているのではなく、**20～25分くらいは生徒たちが話しているべき**だというのが私の持論です。

実際に私の授業では、学生が話している時間が非常に長くなっています。

当たり前の話ですが、テニススクールなどでは言葉で指導するだけでなく、生徒に球を打たせなければうまくなりません。それと同じです。

**アウトプットを前提にしないインプットには意味がない。**

それくらいの考え方でいるべきです。

## 「検索して終わり」にしないようにするには

アウトプットを前提としたインプットのトレーニングとして、授業では、インターネットを活用することもあります。５分間で価値ある情報を検索させ、その情報を順番に発表させるのです。

文系の学生に対して理系のテーマを設定することもあります。

たとえばアインシュタインは１９１６年に、「星が運動すれば、時空のゆがみが波のように伝わっていく」として、重力波の存在を打ち出しました。一種の予言のようなものです。そして、その１００年後の２０１６年に世界で初めて重力波が検出されたのです。「時空を超えたロマンではないか！」ということで、このニュースは私のお気に入りになりました。そこで学生たちにも、「重力波の観測について」という課題を出したのです。

このときは、文系の学生に理系、それも重力波の説明を求めたということで学生たちは「それ、ムリ！」と大慌て。でも、そこは教える方の特権で一切容赦しません。必死になっている彼らを見るのも楽しいものです。

結果として学生たちは、しっかりした情報をうまくまとめて話しました。どうしてかといえば、発表しなければならないので、**獲物を探す狩猟感覚で情報収集に臨むからです。**

こうした経験がなかったなら、学生たちは重力波の観測について考えてみることはなかったでしょう。海を泳いでいる魚を遠目で見ていただけのはずなのに、人に伝える設定があることで魚を捕まえて干物にできたわけです。

**ふだんの検索であれば、目にした記事の内容を消化できないまま読んでいき、しばらくしたら忘れてしまいます。しかし、こうして収集して発表した情報は、しっかりと理解でき、いつまでも忘れない知識にできます。**

これは、非常に効率のいいトレーニングだといえます。スマホさえ持っていれば誰でもできることです。家族や仲間うちでやってみるのもいいのではないでしょうか。

## 「感覚のズレ」をコントロールするためのインプット

狩猟感覚でインプットしていくときに、**新しい考え方や情報に触れる機会をできるだけ増やす**ことも意識してください。

たとえば私は、それなりに芸能ニュースにも詳しいほうです。理由のひとつは、そういう情報を扱うテレビ番組を見るようにしているからです。特別興味があるジャンルの情報ではなくても、ある程度のことは知っておくべきだと考えているのです。

仮に2週間ほど海外に行っていて、特別な情報収集をしていなければ、日本国内で話題になっているニュースは何も知らずに帰国することになります。それだけでもちょっとした浦島太郎状態になってしまいます。

それほど世の中の動きは早くなっています。

日本にいながら浦島太郎にならないためにも、情報番組や情報サイトに目を通しておくわけです。暇つぶしに近い意識で見ているにしても、世の中の動きを知り、感覚のズレをなくすためには有効です。

**関心のない情報も取り入れ、世代が違う人たち（自分が中高年なら若い人、自分が若いなら中高年の人）がどういう考え方をしているかを気にしておくのも大切です。**

私の場合、大学で教えているので、常に18歳から22歳くらいの人たちと接することができます。毎年、高校を卒業したばかりの学生たちが目の前に現われてくるのですから、恵まれています。そういう世代と接していると、感覚の違いなどを思い知らされることは多く、そのたび調整もできます。

会社勤めをしている場合にしても、下の世代や上の世代と交流はできるはずです。そういう機会をなかなか持てない人は、インターネットのニュースなどを見る際にコメント欄を見るのがおすすめです。

コメント欄に書き込みをするのは若い人が多いものです。そうすると、**「このニュースに対してこういう感じ方をするものなのか!?」**と驚かされたりもします。そこであきれるのではなく、「そういうものなのか」と知っておくことが大切です。

**若い人が同じ世代の意見を読んだときにも、「こういう考え方が一般的なのか」、「こういう考え方をする人もいるのか」と学習できる部分があるはずです。**

年配の人であれば、フェイスブックやツイッター、インスタグラムといったSNSに縁のない人も多いと思います。無理に始める必要はありませんが、どんなものなのかくらいは知っておくようにすべきです。ちょっとした努力をしておくだけで、世代の違いによるギャップは、ある程度、埋められます。

年配の人だけを対象にした問題ではありませんが、パワハラやセクハラに関しても、企業では毎年講習が行われます。

なぜかといえば、どういう事例がパワハラやセクハラに問われるかという基準が、**いまの世の中ではかなりのスピードで変わっていくから**です。「そろそろ赤ちゃんは？」といった質問は、一定の年齢から上の人はなんの悪気もなく聞いてしまうのですが、いま、それを会社の中で言ってしまったらたいへんなことになります。そのため、毎年、情報を更新していく必要があるわけです。

社会問題、法的な問題に限ったことではなく、**常に自分をバージョンアップ**していけば、最新の基準とのズレを少なくできます。

## 「あ！」というリアクションを大切にする

何かに触発される感覚も大切にしたいところです。

就活の際には4、5人でグループになって面接を受ける場合があります。ひとつの質問に対して順番に答えていくケースでは、他の人が答えているあいだに自分はどう答えようかと考えておくのが普通です。

そんなとき、前の人が自分が考えていたのとほとんど同じことを言ってしまった場合にはどうするべきか？

「いまの人と同じになってしまうんですけど……」と答えるのではまったく評価は得られません。難しいことではありますが、考えていたことを白紙に戻して、まったく違ったことを話すべきです。

グループ面接では、自分は何を話そうかと考えておくと同時に、**他の人が話してい**

**ることに対してアンテナを働かせておく必要**があります。

5番目の回答者になったときには、答えようとしていたことを先に言われてしまう可能性が高くなる不利はありますが、他の人の回答を聞いたうえで話すことを決められる有利さもあります。

他の人の言葉を聞いて、「あっ、それなら自分はこう言おう」と、それまで頭になかった発想が生まれることもあります。

**どんなことにも触発される感度のよさ**は大切にしたいものです。

最初に考えたことに固執せず、臨機応変に対応していく柔軟さが求められます。何かを見たり聞いたりしたとき、「あっ、それで思い出したんですけど……」、「あっ、そういうことでしたら……」と、「あっ」で反応します。

「あ〜、う〜ん」となってしまえば、その段階でアウトです。

反応が遅い分だけだらしない印象を与え、礼儀を欠いたあいづちでごまかしているようにもとられかねません。

**触発された場合にも0・5秒くらいの間しか空けずに新たな発想を提示する。**

それくらいのスピード感が必要です。

「あ！」という気づきを大切にする

## 本を読むときも、狩猟感覚で「セレクト読み」する

日本人は生き方全般の問題として農耕民族的だといわれることがあります。

本を読むときの姿勢にしても、そうかもしれません。ほとんどの人が新しい本を読むときには、1ページ目の1行目から読んでいくはずです。そういう実直なやり方は、田んぼの端から順番に田植えをしていく様子ともイメージが重なります。

日本人ならではの几帳面さが垣間見える部分です。それ自体は悪いことではないにしても、姿勢をがらりと変えてみるのもいいのではないでしょうか。

**農耕民族から狩猟民族への転向**です。

**森の中で獲物を探す狩猟をしているイメージで、ポイントとなる部分や有益な情報をできるだけ素早く探すように読んでいくようにするのです。**

いうなれば**「セレクト読み」**です。

全体を読むスピードを上げようとする速読ではなく、**読むべきところだけを読めばいいという発想の読書法**です。

もちろん、小説などは別です。私も小説は最初から読んでいきます。しかし、実用書に目を通すときなどはアタマから読んでいくことはまずしません。必要な情報が詰まっていそうな章から読み出していき、できるだけ早く要点を捕まえようと心がけています。

本を読む目的によっても違ってきますが、できれば**一冊を15分くらいで読みたい**と考えています。


本をあれこれ買いながら読まずにいることは「積ん読」と呼ばれます。**積ん読は本を殺してしまうのと同じです。**

鉄は熱いうちに打てといいます。本にしても買った日がいちばん熱いのは当然です。「読みたい」と思って買っていても、しばらくするとどうして読みたいと思ったのかを忘れ、やがて買ったこと自体、忘れてしまいます。

そうならないように**買った日のうちに干物にしてしまいます。**

飛ばし飛ばしで20ページしか読まなかったとしても、そこに書かれていることを人に話せば、「買った感」、「お値打ち感」が出てきます。

部分的にしか読んでいないからといって自分を責める必要はありません。必要ないというよりも、罪悪感などはいっさい持たないようにすべきです。

途中からイヤになってもなんとか読み切ろうとする人もいますが、そうなっていては吸収できることなどはないはずです。

**本全体の10分の1しか読まなかったとしても、読んだ部分に書いてあることはしっかりと吸収してアウトプットしていく。**

そういうマインドで本を読む、あるいは情報に対するべきです。

サブスクリプションが主流になっている現在では、多くの電子書籍が定額で読める場合もあります。そうなると、一冊のありがたみが薄れる部分も出てきます。そのため本に臨む緊張感が薄れてしまってはマイナスにしかなりません。何万冊が読み放題になっても、手に取った一冊との一期一会を大切にすべきです。

**・どれだけ多くの本を読もうとも、次から次へと手にしていけるうちの一冊だとは考**

**えない**

**・たとえ一冊を15分で読もうとも、狩猟感覚があれば記憶に残る**

そんな心がけで、一冊一冊から必ず何かしらの収穫を得るつもりで本には対するべきです。

## 良質なインプットをするためにできること

これまでの活字空間はきわめて限定的だったのに対して、いまの活字空間は無限に広がっています。

ブログやツイッター、ユーチューブなどさまざまな選択肢があり、そこからカリスマ的存在やベストセラーの出版物が生まれることもあります。

アウトプットに関してはずいぶん平等になりました。

有名人がユーチューブを始めても注目を集められず、ネット出身といえるユーチューバーがやっているチャンネルが人気になるケースもあります。

「自分なんて……」などとは思わず、どんどんチャレンジしていい時代であり、チャレンジするべき時代です。

**そのためにも情報収集には貪欲になる必要があります。**

私の教え子には、「映画は年間100本観るのを目標にしている」という学生もいます。100本ならそれほど難しくはありません。時間の作り方次第では200本くらい観るのも可能です。100本なり200本なり映画を観ていれば、誰と会ったときにも話題に事欠きません。

私と友達がかつてそうしていたように誰かと情報を交換していくやり方もあるほか、映画を観るたび簡単なレビューを書いていくのもいいでしょう。それをブログなりツイッターに挙げていけば、その映画を観た証を残していけます。

友達の家で映画を観ていて、まさに映画が終わろうとしているときになって、友達のお父さんが「あ、この映画、前に観たことがある！」と言い出したことがありました。「えっ、このタイミングでそれを言いますか!?」と笑い話になった一件です。

一度観ている映画をそこまで見事に忘れてしまうのは寂しいものです。しかし、観た映画について誰かに話すなどしていれば、観たこと自体を忘れてしまうことなどはさすがになくなります。レビューを書くようにすれば、さらにしっかり内容を覚えておけます。

**何かを見る、聞く、読む際には、どういう姿勢で臨むかによって、身につけられる**

**もの、記憶に残るレベルは驚くほど違ってきます。**

意識しないでインプットした情報は深海に沈んでいきます。あとから取り出しやすくするためには**最初から狩猟感覚でいるべき**です。

いまはインターネットが普及したうえ、多くの人がスマホを持つようにもなっています。そのため、さまざまな情報に簡単にアクセスできます。

**それにもかかわらず、なぜ知識が増えていかないのか？**

**手に入れた情報を「無限の情報のひとつ」、あるいは「その場限りのもの」と考えているからです。**

そういう姿勢でいれば、いくら情報を収集しても、次から次へと忘れていくのは当然です。

見たもの聞いたものを覚えていないというような残念なことにしないためにも、人に話すことなどを前提として情報や作品に接する。意識することなくそれができるようになれば、知識の蓄積度や出し入れのスムーズさはまったく違ってきます。

## 「アウトプットの達人たち」の流儀

ルール4ではインプットとアウトプットの比率は10対6か10対7くらいを目指してほしいと書きましたが、本音では10対10が理想と言いたいくらいです。

もっといえば、**インプットした情報に自分で尾ひれをつけて10対20、10対30として いく**ことも望まれるくらいです。

その意味では坂口安吾のやり方などは面白いといえます。

たとえば、『青春論』という評論の中では「世阿弥が佐渡へ流刑のあいだに創った謡曲に『檜垣《ひがき》』というものがある」と書いて、『檜垣』について説明しています。

しかし、そこでは「細いことは忘れてしまったけれども荒筋は次のような話である」、「謡曲をよく御存じの方は飛ばして読んで下さい。**どんなデタラメを言うかも知れませんよ**」とも書いているのです。

調べて書けばいいことなのに、それをしません。

学生などがそういう論文を書くのは許されないにしても、坂口安吾がそれをすれば、安吾ならではの味わいや面白みが出ます。

『青春論』には「僕はあらゆる友人にこの物語を話した」とも書かれているので、手あたり次第、『檜垣』について語っていたことがわかります。

「正確な話ではない」という断わりを入れておくのを前提にするなら、そういう姿勢でいるのも悪くないと思います。

自分が面白いと感じたことを人に話さずにいられなくなるのは自然なことなので、罪がない範囲（間違ったことを人に伝えることで問題にならない範囲）で本能に忠実に発信を続けるのもいいのではないでしょうか。

太宰治や芥川龍之介は、昔話や伝奇小説などを自分なりに解釈してふくらませて、オリジナルの小説にしています。太宰治の『お伽草紙』、芥川龍之介の『杜子春』などがそうです。

芥川龍之介は一般的に流布する『桃太郎』とはまったく別の視点から『桃太郎』も

書いています。後日譚《たん》も加えられている、かなりシニカルな話です。

鬼が島に攻め込んだ際、桃太郎は「鬼という鬼は見つけ次第、一匹も残らず殺してしまえ！」と叫んでいるのですから、キャラクター設定もずいぶん違います。

こうしたことができるのが小説家です。**拡大や変換が自在にできてしまう技を持っているアウトプットの達人たち**です。

好き放題に話して弊害が生まれるケースもなくはありません。しかし、何かの話を聞くなり読むなりしたとき、その刺激から生まれる感想などを加えながら、どんどん吐き出していくのは悪いことではないと思います。

**1億総アウトプット主義者**になってもいい時代です。表現方法はさまざまなので、誰でも自分のオリジナルを考えて発表していくことが可能です。

## 大阪人の狩猟感覚

インプットだけではなく**アウトプットに対しても狩猟感覚**を持っておくべきです。

大阪の人たちなどは、とくにそのマインドが強いといえます。隙あらばボケを放り込んできて、そうされた相手は当たり前のようにツッコミを返します。**常にウケることを狙い続けている**わけです。

以前、私は『ちちんぷいぷい』という毎日放送制作のテレビ番組に不定期で出演していました。撮影は大阪のスタジオです。

東京のスタジオとはずいぶん雰囲気が違いました。

タレントもスタッフもほとんど大阪人で、とにかくみんなが冗談を言い続けていたのです。CMに入っても雰囲気は変わりません。東京の収録では、CMに入るといったんテンションが落ちて、本番が始まるとまた元に戻るパターンも多いのに、大阪ではずっと高いテンションが維持されていました。カメラが回っているかどうかといったことは関係なく、周りを笑わそうとしていたのです。

大阪には**「普通に話しているのではつまらない」という感覚**に根差した文化がある気がします。テレビの収録現場に限らず、日常的な会話の中でも、隙あらば笑いをとろうとしています。

「これいくら？」、「300万円」といったやり取りなどはもはや「おはよう」と言い合うのとも変わりありません。街中で買い物カートを押している普通のおばあちゃんも「うちのベンツ、ええやろ」などといったことをためらいなく口にします。

街じゅうにボケがあふれているのです。

一般人であっても常にボケ倒していて、自分のボケにツッコミが入らなかったときには「なんで、つっこまんねん！」と、つっこみます。

それが大阪の文化です。

もしあなたがボケとツッコミの文化に馴染みが薄かったとしても、「ちゃうやろ！」と相手にツッコむ技術くらいはマスターしておいてもいいかもしれません。そう書くとツッコミのプロには怒られるかもしれませんが、基本パターンとしてのツッコミはそれほど難しいことではないからです。

## 新時代のツッコミを見習う

古くは『吉本新喜劇』や『THE MANZAI』、近年では『M－1グランプリ』といった番組が全国的人気になったことで、ボケとツッコミという文化はずいぶん全国に広まりました。その中でツッコミのパターンも多様化しました。

フットボールアワーの後藤輝基さんのツッコミは**「たとえツッコミ」**と呼ばれています。単に「違うやろ！」と指摘や訂正をするだけでなく、絶妙のたとえでひと味添えるのが特徴です。

後輩芸人がスベったときに「お前、よくそんなギャグ出せたな。陶芸家やったら、割っとるやつやで」と返したこともありました。

「高低差ありすぎて、耳キーンってなるわ！」、「こんなもん、四捨五入したらハダカですよ！」などのツッコミも有名です。

「高低差」というのは、高度の問題ではなく、イメージの落差を表現した際の言葉です。それを高度の問題とかけているわけです。露出の大きな服に対して「四捨五入したらハダカ」と発想を飛躍させられるのも後藤さんらしいところです。

頭の回転がよくなければ、瞬時にこうしたたとえや言い換えはできません。「鳩が豆鉄砲を食らったような顔」という慣用句にしても、一種のたとえツッコミなので、それに近いオリジナルを作り出していくのがこの手法です。

自分にも**オリジナルのたとえツッコミはできないか**と狙っていれば、頭のトレーニングになるはずです。

最近は、ぺこぱの**「ノリつっこまない」**と呼ばれる新しいツッコミも注目を集めています。ボケ担当のシュウペイさんがどれだけボケても、ツッコミ担当の松陰寺太勇さんは、つっこみそうになりながらもつっこまず、やさしく包み込みます。これまでにはなかったタイプの掛け合いです。

たとえば紫色の服を着た松陰寺さんがタクシーに乗って、ドライバー役のシュウペイさんに「お客さん、ナニしてる人なんですか?」と聞かれるコントがあります。

松陰寺さんが「お笑い芸人なんです」と答えると「ああ、芸人さんなんですね。野菜のナスかと思いました」とボケられます。従来の漫才であれば「誰がナスやねん！」と返すところですが、松陰寺さんはそう言わずにこう返します。

「いや！　ナスじゃないとは言い切れない色合いだ」

相手の言葉に対して**否定すべきところで肯定している**のが新しいわけです。

「ねえねえ、ブス」と言われれば、彼女役の松陰寺さんは「誰がブスやねん！」とは返さず、こう言います。

「いや、ブスと付き合ってくれてありがとう！」と。

この手法が〝**誰も傷つけない新しいツッコミ**〟といわれています。

こうしたギャグが流行ると子どもたちはすぐに真似します。

「違うわ！」「あほか」と一蹴するのではなく、相手の言葉を肯定することで笑いをとろうとするのです。

こうした「ノリつっこまない」は、いまの時代に合った笑いといえます。子どもに負けず、大人も競い合っていきたい新分野です。

漫才に限らず、相手に対するやさしさが伝わるツッコミもあります。

一般の人と掛け合うことが多いマツコ・デラックスさんなどは、きつい言い方をしているようでいながら、さじ加減が絶妙です。**愛情あってのきつい言い方**だということが伝わってくるので、嫌な気持ちになりません。

ＩＫＯさんにしても、決して人を傷つけるようなことは口にしません。

**誰にも嫌な思いをさせずに笑いをとるというのは最上のコミュニケーションです。**

大学の授業でも、うまいツッコミが入ることで笑いが起きて場がなごむことがあります。授業中であってもそういうクッションが入るのを嫌がる学生はまずいません。場にメリハリをつける意味でも、こうした感性を磨いておくのは大切です。

**笑いをとるということに限らず、隙あらば話の中に割り込み、場をなごませる。**

インプットだけでなくアウトプットにおいてもそういう狩猟感覚を持つようにしていると、自然に反応速度はよくなっていきます。

## 「ど忘れ」を克服するためのアウトプット

知識や経験が蓄積されても、頭の柔軟さがなくなると、「対応力」はどうしても衰えます。**若い人でも年配の人でも、あまり物事を堅く考えず、リラックスして構える部分を持っておいたほうが思考の柔軟さは保ちやすくなります。**

ある程度の年齢になると、覚えているはずのことが思い出せないケースが増えます。いわゆる**「ど忘れ」**です。

ふだん使う言葉はあまり忘れませんが、口にすることが少ない言葉を思い出せなくなるのは特別なことではありません。とくに「あの映画に出ていたのは誰だったっけ？」と俳優の名前が出てこないことなどはよくあります。そういうことがあったからといって、悩みすぎない方がいいでしょう。

**ど忘れしたときには、自分で思い出そうと努力して、簡単にはあきらめないことで**

**す。記憶から引っ張り出そうとするしつこさが大切です。**

女優の顔が思い浮かんできていながらも、名前がなかなか出てこないことなどはよくあります。そんなときには、さらにしつこく顔を思い浮かべ、出演していた作品などを思い出そうとします。

『101回目のプロポーズ』に出ていたな……と気づけば、そこでネット検索すればすぐに名前はわかりますが、そうはしません。

さらに自分の中での検索機能を働かせ、最近は『マチネの終わりに』に出てたぞ！などというところまでこぎつけたなら、「あ、石田ゆり子だ！」と名前が出てきます。石田ゆり子さんの名前を出したのはあくまでサンプルとしてですが、こうしたときには**犯人を追及するくらいの粘り**を見せるべきです。

ジャン・バルジャンを追いかけ続けたジャベール刑事や、ルパン三世のことしか頭にない銭形警部になるくらいの執念で臨みます。

とにかく簡単には人やネットに頼らず、しつこくしつこく自分の頭で検索作業を続けます。

最近は**自分で思い出そうと努力することが脳の老化を防ぐ**、という研究もなされているそうです。

私自身、それを聞いてからは自分で思い出すことをなおさらあきらめないようにしています。誰かと話をしている最中に第三者の名前が出てこなかったとしても、相手に尋ねたりはしません。会話を進めながらも記憶を探り続け、10分ぐらい経って、「あっ、思い出した！」となることもあるくらいです。

ただし、どうしても思い出せないときは、検索します。そのままにはしておかないようにしてください。**思い出せないモヤモヤ感が残ると、敗北感が生まれて、自信を失うことにもつながるからです。** それを避けるためにも最終的にはスッキリさせておくべきです。

ど忘れを防ぐためにも、できるだけ人と話をすることです。

ふだん口にすることが少ない固有名詞が出てこなくなりやすいことでも、脳のメカニズムは想像できます。

**アウトプットの機会を増やせば増やすほど頭は整理され、ど忘れを減らせる。**

そういう理屈になるはずです。

## ソクラテスの言葉、孔子の言葉

ソクラテスは「無知の知」（自分は何も知らないということを自覚している知）を前提にしたうえで**「息の続く限り知を愛し求める」**と話しています。それはつまり、常に発見があり、そこから思索（哲学）が生まれるからです。

ソクラテスのような哲学者に限らず、「知的な人生を歩みたい」という気持ちがあるなら誰でもそういう探究が続きます。

生涯変わらないことです。

あらゆる場面で好奇心に動かされ、学びたい、知りたい、という気持ちになるためにも**アンテナの感度を高めておく必要**があります。インプットにしてもアウトプットにしても「あ！」から始まるところが大きいわけです。

孔子は次のように言っています。

**「憤《ふん》せずんば啓《けい》せず、悱《ひ》せずんば発《はっ》せず、一隅《いちぐう》を挙ぐるに、三隅をもって反《かえ》せずんば、**

## 則《すなわ》ち復《ふたた》びせざるなり」

「啓発」の語源にもなっている言葉です。

発奮していない者には教えない、身もだえしているような者でなければ教えない、四隅のうち一隅が示されたときに残りの三隅を考えつけないような者には二度と教えない、ということです。

厳しい言葉ですが、それだけ**物事に向き合う姿勢の問題**は大きいわけです。一隅が示されたなら、残りの三隅に考えを巡らせられるかどうか……。知識などの問題だけでなく、頭の柔軟さが求められる部分です。

ルール6

# キーワード主義で「3の法則」を徹底する

頭の整理

Mind set

**このルールのポイント**

- □頭に浮かんだ言葉を文字に変換する
- □会話や議論の中のキーワードを常にさがす
- □キーワードで理解してキーワードで発信する
- □キーワードは３つに絞る
- □引用が語彙力を高める
- □書くときは、最初に項目出しをする
- □または、いちばん書きたいことを最初に書く

## 頭の中に浮かんだ言葉を〝エアで〟書いてみる

これまで40年以上、あらゆることに関してメモをとってきました。

知人と話をしているときに「いま何していたの？　指で何かやってたよね」と聞かれることもあります。そういうときは指で太ももなどに字を書いています。

ペンを手にしていないとき、頭に浮かんだ言葉をそうして書いていることがあるのです。実際に紙などに書きつけていなくても、手を動かすことでメモした感覚になるのです。

学校で先生が生徒に漢字を教える際、顔のそばで指を動かして書いてみるように指導することがあります。

**「空書《くうしょ》」あるいは「空書《そらが》き」**と呼ばれます。

新たに学んだ漢字や頭に浮かんだ漢字を空書で確認しようとする人もいれば、もうひとつはっきりしない漢字を思い出すために指を動かす人もいます。

こうした行為にも意味があります。たとえ〝エア〟であっても、字を書いていることにはかわりがないからです。

気がついたことはすぐ書き留める**「活字化」の習慣をつけておくこと**は、記憶を助け、脳の中で情報を整理するのに役立ちます。

## 頭の中の文字変換

文字は非常に強力にインプットとアウトプットをバックアップしてくれます。

いまの若い人たちは触ったことがないと思いますが、パソコンが普及する前にはワープロ専用機を使う人が増えていました。ワープロが一般化してきたのが、一九八〇年代後半、私が大学院生だった頃です。ワープロで論文を書くと便利だったので、1日10時間くらいワープロを打っていた時期もありました。

打って打って打ちまくっていると、話をしているときにも頭の中で言葉が活字化し始めました。それだけではなく、夜に寝ていると、夢の中に現れる人たちが声を出さずに、まるで漫画のフキダシのように活字で会話するようにまでなったのです。かなりの速さで活字が流れていくので、寝ても疲れが取れず、正直、これには参りました。そこまでいくと苦しくなりますが、文字がフラッシュする現象は誰にでも起こり得ます。というよりも、起きて当然です。

どうしてなのか？

**日本語で会話をしていれば、聞いている言葉を無意識のうちにも頭の中で文字変換しているものだからです。**そうしていなければ理解できないのが日本語です。

たとえば「こしょう」という音を聞いたときに、「呼称」なのか「誇称」なのか、あるいは「故障」なのか、「胡椒」なのか「湖沼」なのか「小姓」なのか……と、意識することなく頭の中で文字変換しています。

「呼称」か「誇称」かの判断は必要だとしても、「胡椒」や「小姓」ではないな、といったことは前後の文脈からすぐにわかります。そういうときにもやはり、文脈に合った漢字を頭の中で思い浮かべているものです。正確に書けるかどうかは別にしても、文字変換することで相手の言葉を飲み込めるようになるのです。

読み上げられる新聞記事などの文章をどのくらい正確に書き取れるかを試すテスト

もあります。そのときに的確な漢字にしながら文字に起こせているかによって学力がわかります。社会人になっている人でも試してみるといいでしょう。

ふだんから頭の中でうまく文字変換できていない人は、少し難しい話などはちゃんと聞き取れないものです。ニュースを耳で聞いているときの理解度なども、このスキルに左右されます。

## 言葉と文字を常に結びつける

アウトプットする際もそうです。

**意味の含有率の高い話を聞くことができない人は、意味の含有率の高い話ができないのは間違いありません。**

熟語などを耳にしたり、口にしようとするときには、その漢字を素早く思い浮かべなくてはなりません。それができなければ、日常的にも常識レベルの会話がままならなくなってしまいます。

ぎこちなくならずに知的な会話をできるようにするためには、ふだんからなるべく多くの活字を読むようにすることです。

**それはすなわち「語彙力」を鍛える必要があるということです。**

活字離れが危惧されていますが、新聞も本も読まず、漢字をあまり使わないLINE等SNSのやりとりだけをしていたりすると、語彙力がつきません。そうなると、大げさな話ではなく、社会生活にも苦労するようになります。

**メモの習慣をつけておくことでも、頭に活字が浮かびやすくなります。**

そうなってくると、難しい話を聞いたときの理解度が違ってきます。

相手の言葉をまったく文字変換できていなければ、右の耳から左の耳へという状態になり、話の内容がほとんど頭に入ってこなくなります。それでは話が噛み合わず、「人の話を聞いてないのか!」と相手を怒らせてしまうことにもなりかねません。

最近はアライアンス、イノベーション、コモディティ、プライオリティ、マーチャント……などと現代用語（主に経済用語）といえるカタカナ言葉が会話の中で使われることも増えています。こうした言葉にしても、すぐに文字づらが思い浮かべられるくらいでないと、話が理解できないまま先へ進んでしまいます。

**すぐに文字変換ができないのは、聞きなれない言葉に戸惑っているからです。**

若い人から、「会話中に引っかかりを覚えてしまうのは知識が足りないからだと思うので、そうならない方法を教えてください」と相談されることもあります。

即座になんとかはできませんが、やはり日常的に活字を目にする機会を増やすようにして、自分でも字を書くようにすることです。ニュースを見ていたり、人の話を聞いているときには、**頭の中で文字変換する意識を強くしておくべき**です。「あれ？」と引っかかる言葉があった場合には即座に辞書で調べるなどして解決しておく姿勢も大切です。

## キーワードを見つける習慣で会話上手になる

相手の話を聞いているときには文字変換だけではなく、**「キーワードがどこにあるのか」も意識しておくべき**です。

キーワードとは話の核心部分です。

たとえ相手の言葉のすべてを文字変換できていなくても、キーワードだけはがっちり掴んでおくようにします。慣れてくると、難しい話や議論のなかでもキーワードはすぐに見つけられるようになります。

三色ボールペンで大事な部分を赤く囲うのにも近い感覚です。

**キーワードを見つけられるか見つけられないかでは、話の理解度が違ってきます。**

そのことがよくわかるのが**テロップというテレビの技法**です。

話の大事な部分やおかしな部分が活字化され、わかりやすく提示されます。集中してテレビを見ていなかったとしても、**テロップによって要点を掴め、笑えるところでは笑えます。**どうしてかといえば、テロップは基本的にキーワードを引き出しているものだからです。

テレビでテロップが使われ出した最初の頃は、必要ないのではないかとも感じていましたが、慣れてくると便利さがわかります。録画した番組を倍速再生で見るときにもテロップがあれば助かります。それくらいキーワードは大切です。

少し話の性質は異なりますが、映画にしても、セリフを聞くより字幕の方が速く読み取れます。字幕を読むのが速くなれば、それだけ頭の回転も速くなります。**洋画を吹き替え版で観る人もいますが、字幕で観たほうが当然、頭のトレーニングになります。**

英語を聞きながら目で字幕を追い、画面上で起きていることも観ていきます。マルチタスクを行う必要があるのがいいわけです。

『刑事コロンボ』などの古いテレビドラマシリーズに関しては吹き替えで観るほうが自然になっている部分もありますが、新作映画などはできるだけ字幕で観るようにすべきでしょう。新作のロードショーで吹き替え版が公開されるようになったことは、私などの世代からすればむしろ驚きです。

そういうものに馴染んでいるのは**頭にラクをさせているということ**です。

それよりもマルチタスクで頭を働かせるようにしてください。

## 「キーワード主義」で会話上手になる

話を聞くときだけでなく、話をするときもキーワードを中心に考えます。

誰かと会う際、事前にこういうことを話そうと文章を丸ごと考えておいて、そのとおりに話す人はあまりいないはずです。それができたとしても手放しでは褒められません。用意している文章をただ読み上げているように聞こえれば、違和感が生まれてしまいます。

話そうと思っていることを丸暗記しておくのではなく、**「このことだけは話そう」と自分の中でキーワードを絞っておく**のが一般的なスタンスです。

入学式や入社式、結婚式などの挨拶にしても似たところがあります。原稿を丸暗記しておき、一言一句違わないように読み上げるよりも、会場の反応に合わせていく程度の柔軟性はもっておくべきです。

**アドリブの部分があってこそ、聞いている人の気持ちが掴みやすくなります。**

私にしても、あらかじめ話すことをすべて書いておいて、暗記しておいたり読み上げたりするようなことはしません。授業や会議、講演会などの前に何を話そうかとキーワードをメモしていても、文章として用意しておくことはないわけです。話の方向性も、その場の流れに応じて臨機応変に変えていきます。

**相手の話はキーワードで理解して、自分の話はキーワードから発信していく。**

こうしたスタンスは「**キーワード主義**」と呼んでもいいかもしれません。

キーワード主義でいると、インプットでもアウトプットでも戸惑いがなくなります。

相手の話をすっと飲み込め、言いたいことはうまく伝えられます。

## キーワードは「3点」に絞って考える

落語には**三題噺**《ばなし》というものがあります。客席の側から「人物」、「場所」、「品物（事件）」など、３つのお題をもらって即興で話を作っていく芸です。

キーワードを並べていけば新しいストーリーを生み出せる、ということを三題噺は証明しています。

**キーワードを３つに絞る**ようにすると、情報を発信する際も聞き取る際も、頭を整理しやすくなります。いわば**「キーワード３点主義」**です。そのスタンスにもとづいたトレーニングはふだんから簡単にできます。

ニュースを見ているときなどに**アナウンサーが解説している話のキーワードを３つ取り出す**ようにすればいいのです。

ニュースに限りません。バラエティ番組を見ているときにも**芸人が繰り広げているトークのキーワードを３つ取り出す**ことを習慣にします。

こうしたトレーニングを続けていると、そのうちテレビに出演しているコメンテーターやタレントに対してダメ出しをしたくなることも出てきます。

「このコメンテーターはキーワードの選択を誤っている」、「キーワードのない話をしている」といったことがわかるようになってくるからです。

コメントを求められたときに「う～ん、そうですね。これはなかなか難しい話ですけど……」などといった言葉から始める人は、的確な回答ができることはまずありません。「う〜ん、そうですね」などといった時間稼ぎの言葉で引っ張らず、「○○○についてはこうです」と、**最初からキーワードを口にしたほうが話の焦点はぶれないものです。**そこから自分が提示する次のキーワードを提示していけます。

私が学生にやらせているプレゼンにしても、**「キーワードは3つ」という意識を徹底**させています。

# マジックナンバーを生かした「3の法則」

ポイントを3つに絞る、というのはあらゆることの基本となります。

考えをまとめる、何かのアクションを起こす……といったときにも普通は**「どこにポイントがあるか」**を考えます。

その際にポイントを1つや2つしか挙げられないのであれば、何か大事なことが抜けていると考えられます。

4つ挙げれば、実行する際にそのうちどれかが抜け落ちてしまう可能性が高まります。5つ以上挙げると、何が大切なのかがわからなくなり、すべての要素が抜け落ちてしまう危険が出てきます。

そういう意味でいっても3つはちょうどいいわけです。

ポイントを3点に絞る「3の法則」は私だけが唱えているものではありません。**人間の脳の働きを考えても、3は〝覚えやすく忘れにくい数（容量）〟であり〝しっくりくる数字〟です。**

よく「世界三大○○」といった言い方をします。「七不思議」と7になることもあるように**3と7は万人に対して説得力をもつマジックナンバー**といえます。

今回のこの本が「7つのルール」を提示しているように、本来は7つくらいが重要ポイントに挙げられることは多いものです。しかし、**確実にすべてを覚える、実行する**、ということを優先するなら、3つに絞るのが有効になる場合は多いのです。

アップル社を創業した**スティーブ・ジョブズ氏もプレゼンなどではポイントを3つに絞ることにこだわっていた**といわれています。

ポイントを3つに絞って3章構成にして話していくことで、強いメッセージを届けようとしていたようです。

**「3・3・3の法則」として応用もできます。**

私の場合、論文を書く際に、3章立てにして、各章に3つのブロックを作り、各ブロックをさらに3節に分けていこうと意識しています。文章を書くときやプレゼンをする際には「3・3・3の法則」を意識すれば、まとまりがよくなり、人の心に届きやすいものにできます。

いくつかの考えが浮かんでまとまらないときにもポイントを3つに絞ります。複数のメモや箇条書きを見直す際に①、②、③と番号を振っていく。それがそのまま優先順位にもなります。

ちなみに私は、「3・3・3の法則」を取り入れることによって、論文を書くスピード、書く量ともに格段にアップしました。企画書や報告書を作成する際に、3・3・3を意識するだけでずいぶん書きやすくなるはずです。

## 「引用力」を活用しながら「語彙力」をつける

語彙力、キーワード主義とも関連してくるのが「引用」です。

文章を書く際に作法を守れば**引用は立派な技術**になります。

もちろん、話の中にも引用は取り入れられます。

すぐれた意見や表現を紹介できるだけでなく、先人などの言葉を借りて自分の思っていることを表現することもできます。自分の言いたいことをうまく言葉にできないとき、引用が助けてくれることもあります。

欧米では、聖書やシェイクスピアの言葉を引用するのが教養の証とも見られるように、シチュエーションに応じた古典や名作、名言などを取り出せる人は、それだけの教養があると見られています。

**引用は古くから育まれてきた文化です。**

引用でやってはいけないのは、人の文章や誰かが調べたデータなどを自分のもののようにして書いてしまうことです。それでは「盗用」になります。盗用があると、論文の世界では問題視され、出版物では裁判に発展することもあります。しかし、正しく引用している場合はむしろ引用元へのリスペクトが示されるものです。

どこかに発表・公開する文章において引用をする際は、出典を明らかにしたうえで適切な分量で引用します。そのうえで、ただ引いただけにはしないで、その文章がどういう性質のものであるか、その文章をどうとらえているか、といった説明を加えておくのが基本です。

「いい言葉だな」、「そのとおりだな」という発見や感動があれば、その言葉を人に紹介したいと思うのは自然な感覚です。

そのための準備もできます。

本を読んでいて「いい言葉だな」などと思った際は、いつか引用する機会があるかもしれないということを前提にして、付箋を貼るかページを折るなどして、その箇所を赤色で囲んでおくようにします。映画を観て、いいセリフだなと思ったときなどもすぐにノートに書き留めておくようにします。

ルール5とも重なるように狩猟感覚を働かせておくべき部分です。

私は以前から**語彙力は教養であり、知性のモノサシにもなる部分なので、語彙力を鍛える意識を強くしておくべき**だと提唱してきました。

語彙力とは、どれだけの言葉を知っているかということですが、**ただ知っているだけでは意味がなく、使いこなせてこその語彙力**です。

話や文章の中にうまく引用を取り入れる**「引用力」もまた語彙力**です。先人などが残したかけがえのない言葉を自分の語彙にできれば、それだけ話が充実します。

感動した情報があれば、しっかりインプットしておき、自分からも発信していくようにしましょう。

## 「書くのが苦手」も克服できる！

文章を書くのが苦手という人も多いと思うので、文章を書く際のポイントについても解説しておきます。

文章を書くときなどには、**いかに「書きたいこと」が整理できているか**が重要です。その意味でいえば「キーワード主義」、「3の法則」、「引用力」とも強く結びついています。

出版するための本を書くときも、学校の授業や仕事で提出するレポートを書くときも、趣味のブログやレビューを書くときも基本は同じです。

「どのように書き出そうか」と迷って、1行目を書けずに時間ばかりが過ぎていく人も多いのですが、そうなるのは頭の整理ができていないからです。

ちゃんと頭が整理できていれば、書き出しはもちろん、章構成も段落構成もしっかりとイメージしたうえで書き進めていけます。

なかなかプロットができないというときに、なるべく立ち止まらないようにする方法もあります。

とにかく書こうと思っている**「項目出し（キーワード出し）」を先にしていくこと**です。そうすると構成が考えやすくなります。そのうえで構成案に従い書いていくのが基本になります。

もうひとつの方法は、書き出しや構成は考えず、**いちばん書きたいことを最初に書いてしまうこと**です。

小説ならクライマックス、レポートなら結論でもかまいません。場面を問わず、書きたいところから書いていきます。ある程度、その作業が進んだ段階で、ブロックの入れ替えやつながりの調整をしていきます。原稿用紙に手書きするなら調整作業は面倒になりますが、パソコンなどで作業するならカット&ペーストは簡単です。

「入れ替えはいつでもできる」と割り切れるわけです。

- **とにかく項目出しをして、書きたいことの優先順位をつけていくこと**
- **優先順位の高いものから大事に扱い、先に書けるなら書いてしまうこと**

そうすることによって1行目で止まってしまわず効率よく書き進めていけます。

私自身が本を書くケースを付け加えておくなら、まずコンセプトを決めることから始めます。たとえばテーマが「哲学」だとすれば、大人向けのものか子ども向けのものかと読者対象をハッキリとさせて、ただの解説書にならないような視点や仕掛けを考えます。単に哲学の基本を説くのではなく、クイズ形式にしたりゲーム形式にしたりするのはどうか……などと考えるわけです。

全体像が固まれば、あとはやはり、それに応じた項目出しをしていきます。そうして書く内容まで整理できれば、一気に進めていけます。

**本やレポートなどを書くとき、とにかく避けたいのは、頭がもや〜っとした状態になって時間が空費されることです。**

最初に整理してしまえば、それが避けられます。

ガルシア・マルケスの『百年の孤独』のように、20年も構想をあたためた本を書くのでなければ、スピード感を大事にすべきです。

頭がうまく整理されていれば、書き始めるまでに時間がかからないばかりか、どんどん書き進めていけます。

話す場合にも書く場合にも、必要なときに必要な情報や知識がさっと引き出せるかどうかが問われます。

いうなれば**瞬発的な情報選択力**です。

ここまでに紹介した方法でこの力を養えば、話をすることも文章を書くことも得意になれます。

書く場合、締切がないなら時間をかけることも許されますが、効率的に作業を進めていけるに越したことはありません。

スピーディに言いたいこと、書きたいことをまとめるには、そのためのやり方がありトレーニング方法があります。

情報選択のスピードは生まれつき決まっているわけでなく、トレーニングで高めていけるものなのです。

ルール 7

# 質問力をつけて会話の達人になる

日常トレーニング

Training

**このルールのポイント**

□状況に応じて自分の役割を変化させる
□会話に参加しながら、「メタ視点」も持つ
□会話のうまさは、「質問のうまさ」で決まる
□質問は、2回目のターンで決める
□自己開示しつつ質問をする
□苦手な分野、よく知らない分野の話題も質問で切り抜ける
□事前に用意したことにその場で思ったことをプラスする
□人の集まりで会話感覚を磨く
□「偏愛マップ」を作っておく

## 場面に応じて会話の流れを読む

頭の整理はできているか、回転が速いかは会話に端的にあらわれます。自分で、話は苦手と考えている人も多いのですが、そう決めつけず、人と話す機会を減らさないことです。

会話にもコツはあります。**コンプレックスを持たずに会話ができるようになれば、人と楽しく話す機会が増えます。**そうするとインプットとアウトプットの循環もよくなり、頭の整理が進みます。

### 相手に応じて「役割」を変える

会話をする際には、自然にリード役、聞き役といった役割が生まれるものです。

グループの中で中心的役割を果たすかバイプレイヤー的存在になるか、仲間をイジる側になるかイジられる側になるかといったこともそうです。

**相手との組み合わせによって役割が変わる面もあり、そういうバランス調整の中でコミュニケーションが成り立ちます。**

付き合いのあるグループが2つ以上に分けられる人は多いと思います。

仕事の仲間と大学時代の仲間というような分け方もできれば、音楽好きの仲間、お酒を一緒に飲むことが多い仲間、などに分けられることもあります。

そうした際に「このグループではよく発言してリーダー的役割になるけど、こっちのグループでは聞き役になっている場合が多い」となる人もいるはずです。

それ自体はまったく問題はありません。

**状況に応じて役割を変えるのは当然のこと**です。

無理をして役割を考えるのではなく、居心地を重視するのがいちばんです。

「自分もわりとしゃべるほうなんだけど、このグループにはとんでもないおしゃべりが2人もいるからな……」というようなケースはありがちです。

そんなときにしても、「たまには聞き役でいるのも楽しい」と思えるなら、そういうスタンスでいればいいだけです。聞き役になるのは嫌で、どうしても自分が中心で話していたいなら、他のグループで過ごす時間を増やすしかありません。

しゃべりたがりの人間が重なってしまった場合、2人がそれぞれに状況に応じて聞き役にも回れるタイプであるなら問題なくバランスがとれます。しかし、2人のどちらにも聞く力がないときにはいい関係を築くのが難しくなります。

野球チームでいえば、いいピッチャーがいて、いいキャッチャーがいるのが理想なのですが、先発型のピッチャーは2人いるのに誰もキャッチャーをやりたがらないというのでは試合ができません。

野球のキャッチャーは会話でいうなら聞き役に近いオトナな役割です。自分がキャッチャーに転向してでもそのチームにいたいならそうして、どうしてもピッチャーをやりたいなら他のチームに移るというように自分で選択すればいいだけです。

私は、大学の教え子であった安住紳一郎さんと『新・情報7DAYS ニュースキャスター』(TBS系) という番組で共演しています。

『ニュースキャスター』にはビートたけしさんがメインとして出演されています。そうであれば、私が常に前面に出ていこうとする必要はありません。自分がコメントしているときにたけしさんが何かを話そうとしている空気を感じたなら、すぐに自分の話を終えて、たけしさんに話してもらうのがいいとわきまえています。それはなにも自分を低く見ているということではありません。**「場に応じた役割の問題」**だと考えています。

テレビに限らず皆さんも、「このグループでは自分が仕切らないといけないな」、「今日は聞き役かな」などと分けて考え、それを実行している場合は多いのではないでしょうか。そんなときには「よく自分がコントロールできているな」と自分を褒めてあげればいいのです。

**相手に合わせながらコミュニケーションをとっていくとともに、一緒にいて居心地のいい相手を探す。**

そのために人生の経験値を積んでいると考えてもいいのではないかと思います。相手次第でうまくスタンスを変えられるようになると、ストレスも減らせます。

## 「メタ視点」と「リフレクション」

何人かで会話や議論をしていた場合、発言回数が多い人がその場の主役であるようにも思えます。しかし実際にその場をコントロールしているのは誰かといえば、別の人だというケースは多いものです。**場の流れをよく掴んだうえで、時おり流れを変えるようなひと言や質問を入れられるかが重要な意味を持ちます。**

そこで生かされるのは、全体の流れを俯瞰して見る**「メタ視点」**です。

会話の流れとはすなわち「文脈」です。

文脈は、語や文の続き具合だけでなく、状況や背景をふまえてのものだといえます。そういう大きい意味での文脈を捕まえて、文脈をつないだり、流れを変えたりしていきます。

現在のポイントまでどのような流れで来たのかを把握しておくだけでなく、ここからどっちへ行くかを予測するのも大切です。

カーナビの話にも通じます。地図とコンパスを持っているかのようなメタ視点、メタ認識力があるかが問われます。

そういう感覚をいっさい持たず、行き当たりばったりで話をしていく場合、先がわからない面白みはありますが、**メタ視点があったほうが衝突などの事故が起きにくくなる**のは確かです。

セクハラやパワハラなどにしても結局、文脈力を持たず、行き当たりばったりの発言をしているためにレッドカードを出されてしまうわけです。

「そろそろ結婚したら？」、「子どもはまだ？」などといった言葉は、昭和であれば、ほとんど、とがめられることはなかったでしょう。

そのため、いまでも悪気なく口にする人はいますが、配慮が足りない言葉であるのは間違いありません。昭和の時代であれば、こうした言葉で人に嫌な思いをさせた場合にも、相手は我慢していました。

しかしいまは、いきなりレッドカードが出されます。頭で思いついたことに関して、自分の中でいっさいのチェック機能を働かせずに昭和の感性のまま、すべてを口にしていたらどうでしょうか？

以前であれば10のうち10がセーフだったとしても、**いまでは10のうち8から9ほどがアウト**になってもおかしくありません。

セクハラやパワハラに限った話ではなく、感情的な衝突などを避けるためにもメタ視点を働かせておく必要があります。

**メタ視点は、リフレクションとも関係します。**

話をしていたあと、「あれは言いすぎだったな」と反省することは誰にでもあると思います。そうならないように前もって反省してしまいます。言い換えるなら、**あとで反省しないでいいようにあらかじめ熟考しておく**、ということです。面倒ではあっても、そうしておくべき社会になっているのです。

言う言葉候補をいつも2、3用意しておくと失敗しなくなります。

こうした思考を働かさずに思った言葉を垂れ流すように口にしていると、トラブルは続発し、さまざまなクレームを受けることにもなりかねません。そうなればそこでまた大きなエネルギーが使われます。

あとでエネルギーロスを生まないためにも、メタ視点で考える癖をつけておいたほうがいいわけです。

## 会話やディスカッションの達人とは

人とのコミュニケーションを円滑にして、会話や議論をうまく回せていけるかを左右するのは**「的確な質問を挟めるかどうか」**です。

質問の比重は非常に大きいといえます。

流れの中で的確な質問ができるかどうか……。会話や議論を進めていくうえで、いい質問ができる人がいるかどうかは大事な意味を持ちます。

私は大学の授業で学生を数名のグループに分け、ディスカッションをさせて、ディスカッションに参加していない学生たちに、誰がディスカッションのＭＶＰかを決めてもらう、という授業（メタディスカッション）を行うことがあります。

そうすると、話題が行きづまったときにうまい質問を投げかけるなど、全体の流れをコントロールできている人がＭＶＰに選ばれる場合が多くなります。

**いちばんよくしゃべった人ではなく、全体の流れを操作している人が評価されやすい、**ということです。

サッカーでいえば、シュートを決めた選手ではなく、そのアシストとなるパスを出したゲームメーカーがMVPに選ばれるようなものです。

サッカーとディスカッションは性質が似ています。

サッカーでは試合に出ている選手よりスタンドの観客やベンチの控え選手のほうが全体を俯瞰できている場合が多いということはすでに書きました。ディスカッションでも、外から見ていたほうが流れを把握しやすいのは確かです。そのメタ視点を持ったままディスカッションに参加できれば、いいパス出し＝質問も可能になり、全体をコントロールできます。

ディスカッションや会話の際、そこまでの話を聞いていなかったかのように「いま、ここでそれを聞きますか!?」という質問をする人もいます。それをするのは、メタ視点が欠如しているからです。

両者の違いが大きいのはいうまでもありません。

## 「3球目攻撃」と「質問力」

やはりスポーツの話になりますが、卓球には**「3球目攻撃」**と呼ばれる戦術があります。1球目がサーブで、2球目が相手のレシーブ。そこで返ってきたボールでフィニッシュとなる強打を決める、という基本戦術であり、必殺パターンです。

どうしてこの攻撃が有効かといえば、最初のサーブをうまく打つことによって相手がどんなレシーブを返してくれるかがある程度、読めるからです。どこにボールが返ってくるかがわかっていれば強打もしやすくなります。

この場合、相手のレシーブがおのずと限定されるようなサーブを決められるかがポイントです。そういうサーブが決められていたなら、その時点でおよその勝負がついていたといえます。

**会話でいえば、自分の質問が3球目攻撃におけるサーブになっているわけです。**

相手に振って、軽く返してもらったところで、自分の持ちネタを話す、というように展開しやすくなっていきます。

話が行きづまりかけたときにしても、いい質問をすれば相手がそれに答えて、次の展開が生まれます。相手がひと言返してきたことで、こちらもまた話しやすくなる面があります。

**会話やディスカッションをコントロールしているのは質問**だといえるのです。

質問には技術が求められ、その力量が問われます。

いわば**「質問力」**です。

質問次第で、相手からどんな話を引き出せるかが変わってきます。

だからこそ、質問力を向上させる発想を持ちましょう。

**質問はスキルとして鍛えていくこと**ができます。

質問に点数をつけてみるのもいいでしょう。

「状況に応じたいい質問かどうか」という観点から、S級の質問、A級の質問、B級、C級とランク分けしていきます。D級、E級はかなりひどい質問。F級になれば落第といっていいほどの質問だというように見ていきます。

そうしてふだんから、「自分の質問はどうだったか？」と振り返って考える癖をつけておくようにするわけです。

**「より良い質問はどんなものだったか？」と考えておけば次に生かせます。**

自分の質問を反省するだけでなく、テレビの記者会見を見ているときなどに「いまの質問はどうなのか？」と考察することでも力になります。

そういう意識を持っていれば、質問の優劣が流れに与える影響がどれくらい大きいかがわかってきます。

テレビや雑誌のインタビュアーは、あらかじめ質問をいくつか用意しておくほか、実際のやり取りの中で思いついた質問なども投げかけていきます。

用意していた質問しかしないインタビュアーはアドリブができない人です。用意していた質問にも当然、良し悪しはありますが、アドリブで投げかける質問でこそ、他にはない回答を引き出せる場合は多いものです。

質問によっていい番組になるか、いい記事になるかが左右されます。

よく観察していれば、それがわかるはずです。

## 質問力を向上させる方法

質問の種類やクオリティはいろいろです。

オリジナリティはなくても押さえておかなければならない質問、些末《さまつ》でわざわざ聞く意味がない質問、抽象的すぎて答えにくい質問……などです。

たとえば「憂鬱のうつはどう書くんですか？」などと質問すれば、「自分で辞書を引きなさい」と返されるのがオチです。

「好きな色は何ですか？」と聞いたなら、相手の人には「それを答えることに何の意味があるのですか？」という疑問を持たれます。

「作文はどのように書けばいいのでしょうか？」といった質問も漠然としすぎています。どういうレベルにある人がどういう点に悩んでいるかがわからないからです。もう少し具体的に「作文を書くと、いつもこういう指摘を受けるのですが、どう直せばいいでしょうか？」などと質問したほうが相手は回答しやすくなります。

うわっつらの回答を求めるのではなく、本質に言及することを望むなら、それを引き出すだけの質問をする必要があります。

できるだけいい質問をするためにはどうすればいいか？

**質問を投げかける際に、思いついたまま聞くのではなく、3つほど質問を考えてみて、いいと思われるほうを質問する。**

そういう習慣をつけておくことでも質問の質は向上させられます。

聞き上手という人はやはりいます。

長く『週刊文春』で対談連載を持ち、『聞く力―心をひらく35のヒント』（文藝春秋）という著書もある阿川佐和子さんも聞き上手の1人です。私も『週刊文春』の対談に出させてもらったことがあります。かなりズバズバといろいろ聞かれましたが、嫌な感じはまったくしませんでした。雰囲気がやわらかく、初めて会った人のような気がしなかったくらいです。

何を聞くかという言葉の選択の問題ではなく、**相手が心を許すように接する人間関係力、コミュニケーション力**ともいうべき部分が大きいのもわかります。

## 苦手な分野が話題になったときは

何人かで話をしていれば、自分はよく知らない話題になっていく場合もあります。

そういうときは無理に話題を変えようとするのではなく、聞く側に回るようにして、時おり質問を挟むのもいいと思います。それでうまく情報を引き出せたなら、相手も気分がよくなり、自分にもプラスになります。

「それについては知らないんですが、○○と似たところがありますかね？」というように誘導するのもいい方法です。その場合は、自分の守備範囲に話を持ってこようとするのではなく、**相手が話しやすくなる方向**を考えます。

たとえばオンライン会議でＺｏｏｍを使うという話が出てきたとき、Ｚｏｏｍをやったことがないなら「Ｓｋｙｐｅと似たようなものですか？　どこが違うんですか」と聞いてみるようにします。そうすると相手は「この人はＺｏｏｍを使った経験はなくてもSkypeは知っているのだな」と理解でき、説明しやすくなります。

絵画の話をしようとしたとき、相手がどのくらい絵に詳しいかをまったくわからないまま、「マティスの『ダンス』っていいよね」、「シーレの『死と乙女』が好きなんです」と言っても、相手がピンとくるかはわかりません。そういう話をするときには、相手がどのくらい絵に興味があるかをまず確認しておくべきです。

自分が詳しいジャンルに関して、相手も同じレベルの知識があると決め込んでしまったり、自分の知識をひけらかすのはやめるべきです。

**説明をする側であっても質問する側であっても、お互いの興味や知識をすり合わせていく感覚は大切です。**

逆もあります。自分が絵に詳しくないのに、相手から絵の話を振ってこられるようなケースです。そうしたときに知ったかぶりをして頷いているのはよくありません。「僕は絵のことは何もわからないんです」と正直に話すべきです。「フェルメールって名前も最近、知ったくらいなんですよ」などと自分の知識の限界を早めに伝えてしまいます。そうすればお互いに手探りしていく必要はなくなり、話しやすくなります。

## 事前の準備はどうするか？自分の意見はどうするか？

私がテレビに出演するとき、事前にコメントのための準備をしておくのかといえば、ケースバイケースです。

事前にコメント案の提出を求められ、こちらの案を台本に組み込む番組もあれば、台本で決められている進行はかなり大まかで、コメントはその場のアドリブに任される番組もあります。

前者の場合にしても、完全に決められたまま話すよりはアドリブを入れるようにしてライブ感を出すことも考えます。ただし、周りの人たちが台本どおりにきっちり進行しようとしていると、ズレを生んで迷惑をかけてしまうこともあるので、バランス感覚は必要です。番組によっても求められるスタンスは変わってきます。

ニュース番組や情報番組であれば、どんなニュースが扱われるかはある程度知っておきたいところです。収録中に「そういうことはいま初めて知りました。そうなんですね」と頷くだけで、自分の意見を口にできなければ、何のために出演しているのかわからないことにもなりかねません。

そうならないようにするためにも、事前に扱われているニュースがわかっているときには下調べをしておきます。

詳しくない分野のことではあればとくにそうです。

ネットを使えば、関連事項も含めて基本的な部分は把握しやすいものです。

メディアから伝えられる情報の質などを判断しながら読み取っていく力は**「メディアリテラシー」**と呼ばれます。

メディアリテラシーを働かせながら芋づる式に周辺情報を集めていけば、それなりの土台は作れます。

ネットニュースなどを見る際にコメント欄も見ておくと、何かのニュースについて一般的にはどのように見られていて、どういう意見を口にすると炎上を起こしてしまうかもわかります。**思わぬ地雷のありかを知ることもできる**わけです。

収集した情報をもとに自分の意見を形成します。

**一方、自分が知らないことには無理に意見を言おうとしないほうがいいともいえます。**

たとえば、新型コロナウィルスの感染が拡大していた時期には「PCR検査を増やさなければならない」という主張が目立っていました。その一方で、「PCR検査を増やせば医療崩壊が起きる」という見方があり、「いや、そうではない」という反対の見解もありました。専門家であっても判断が難しい問題だったといえます。

こうしたとき、専門家でもないのに「こうするべきです」と強く主張するのは避けておくべきです。不特定多数の人の命を左右しかねないのですから無責任な発言は控えておいたほうが無難です。ここまで社会的な責任が問われる問題ではなくても、**個人の意見を口にしていいときと、すべきではないとき**があります。

こうした場に即した判断は常に求められます。

とはいえ、テレビやネットでの発言ではなく、ふだんの会話であれば、慎重になりすぎて何も言えなくなる必要はありません。そうした際には「自分はこう思う」と言って、正直に意見を口にすればいいでしょう。

ただし、反対意見を主張する人が現われたときにはいたずらに争わず、相手がそう考える理由をしっかりと聞くなど、大人の対応をすべきです。

思い込みや決めつけで我を張りすぎないように注意しておきましょう。

**Aという考え方があれば、その反対のBという考え方もあるのが常です。**

Aを主張するのであれば、最低限、Bがどういう考えなのかを知っておいてからにすべきです。反対の意見がどんなものかと考えず、自分の意見だけを主張すれば、衝突につながりやすくなります。

# 日常的に会話のスキルアップに努めるには

会話のスキルアップをしたいと望んでいる人は多いはずです。

人との会話が苦手だと感じている人は、ふだん話ができる相手があまりいないのではないかとも予想されます。

会話が苦手だから人と話す機会が減る↓人と話す機会があまりないから会話に苦手意識ができる、という負のスパイラルに陥りやすいのは確かです。

この悪循環を脱するためにはそれなりの努力が求められます。**なんらかの形で人と会話する機会を増やしていかない限りは、根本的な解決にはつながりません。**

比較的、実行に移しやすいのは、何かしらの集まりに参加することです。サッカーが好きならサッカー、鉄道が好きなら鉄道、サウナが好きならサウナ……というように愛好家の集まりに顔を出すようにしていきます。

特別なサークルではなくても、「社内の集まり」、「飲み屋の集まり」でもいいのです。ネット上でもOKです。そういう場では最初から活発なおしゃべりが求められるわけではありません。それでも、何かしらの情報交換はなされます。そういうところで消極的になりすぎないようにしていれば、少しずつでも人と話す機会が増えていきます。

ステイホームしなくてよい時期であれば、会社から帰宅する際にワンクッションおくのもいいでしょう。カウンターがメインの定食屋さんで夕食をとる、スナックで少しお酒を飲んでから帰る、などとしていきます。

定食屋さんでも馴染みになれば、多少なりともマスターに話しかけられることは増えていきます。スナックなどは、お酒を飲むだけではなくママと話すことがそもそもの目的になっている場所です。

こうした場面において投資を惜しむべきではありません。必要なところにはお金をかける。会話に対する苦手意識を払拭することは、社会で生きていくうえではそれくらい重要です。

**ネット上のコメントやレビューなどを読むことでも、人と話しているのに近い感覚を掴める部分はあります。**

大作家が残した小説を読んだ場合は大変な出力に圧倒されますが、ネット上のコメントやレビューは一般の人たちの等身大の声です。自分では書き込まなくても、その声を身近に感じられます。

私自身、よくやっていますが、ユーチューブのコメントやアマゾンのレビューを読むのは案外、楽しいものです。

たとえば、私はユーチューブで古い動画を探すのが好きです。昭和の懐かしい歌謡映像などもそうです。その際、コメント欄を読んでみると、そうした映像を見つけて感動しているのが自分だけではないのがわかります。

若い頃には名画座のような映画館で、客席に私1人しかいない状態でマイナーな映画を観ることもよくありました。無人に近い客席だった映画については「自分以外に観た人はいるんだろうか？」とさえ思っていたものです。しかし、ネット検索していると、意外に多くの人が感想を挙げているのがわかります。DVD化されているものについては、まったくレビューのない作品はほとんど見当たらないくらいです。

サッカーの試合を見たあと、ネットを見れば、多くの人が感想や意見を書いていま す。評論家の記事とは違い、生々しい声です。そのため**スポーツバーで店にいる人たちと感想を言い合うのに近い気持ち**になれます。

サッカーほど視聴者が多くない卓球などの試合を見て興奮したとき、誰とその感動を分かち合えばいいかがわからないこともあります。そうしたときにもネットを検索すれば、誰かが感想を書き込んでいる場合がほとんどです。それを読めば、仲間を見つけたようなうれしさがあります。

インターネット上にはあらゆることに関して誰かが何かを語っている**「言論の広場」**が成立しています。そういうレビューを次から次へと読んでいくだけでも**誰かと話をしているような感覚**になれます。

読むだけにするか、自分も書き込むかは、どちらでもいいでしょう。チャットを行えばそれこそ疑似会話になりますが、最初から無理をする必要はありません。**会話的な雰囲気の中に入っているだけでもそれなりに会話の勘は掴める**ものです。

たとえ書き込みをしなくても、自分の意見などを頭の中で構築していれば、ただのインプットではなくなり、**アウトプットに近い意味**を持ってきます。

# 自分という人間を整理しておく「偏愛マップ」

初対面の相手と話をする際は、**相手の関心事に合わせていくのが基本**となります。そのためには、相手がどんなことに関心を持っているかを聞き出していきたいので、やはり質問力がものがいいます。

時事ネタなど、世間話的なことから切り出して、尋問調にならないように質問を重ねていけば、相手がどんなことに興味を持っているかはなんとなく掴めてきます。そこから話をふくらませていくのがスマートなやり方です。

共通の好きな話題が見つかれば、それ以上のことはありません。私も初対面の人と話をしていて、互いに漫画が好きだとわかった瞬間からどんどん話が盛り上がっていって意気投合した経験があります。

以前から提案しているのは**「偏愛マップ」を作っておくこと**です。

偏愛マップとは、文字どおり、1枚の紙に自分が偏愛しているもの、好きでたまらないものを書き出していって図にしたものです。

形式は問いません。

好きな食べ物＝ラーメン、カレー。好きな音楽＝ジャズ、クラシック。好きな作家＝ドストエフスキー。趣味＝サッカー観戦、お笑い……などと書いていきます。

ラーメンと書いた下に好きな店を挙げておき、ドストエフスキーと書いた下に好きな作品を挙げるなどしていけば、より充実した内容になります。

要するに**自分史の図化**です。

偏愛マップには、その人の人生や個性、趣味が詰まっています。

初対面の人と互いの偏愛マップを見せ合うことができたなら、すぐに「あっ、僕も○○が好きなんです！」と共通項を発見できます。あるお見合いパーティーでは、男女があらかじめこの偏愛マップを作って参加し、ぐるぐると相手を替えながら会話をしたそうですが、同じ漫画が書かれていることが判明したときなど、あちこちで歓声が上がり、参加者が一気に意気投合したそうです。

「偏愛マップ」を作って「自分という人間」を整理しておこう

もちろん、常にこうした状況に持ち込むのは簡単ではありませんが、**初対面の人とは互いの偏愛マップを見せ合うのに近い感覚で接していくのもいいということです。**

そのためには自分の好きなものは整理できていたほうがいいので、相手に見せることを目的にしていなくても、自分の偏愛マップを作っておきましょう。メモ、ノートの一種であり、自分という人間を整理しておくことになります。

偏愛マップの簡易版として、名刺の裏に自分の好きなものを10個か20個、書いておいてもいいと思います。私はやっていたことがあります。いくつもの肩書や資格をずらずら書いている人はたまにいます。そのアレンジバージョンだと考えればいいでしょう。自己紹介の意味で、好きなものを書いておくわけです。

見た相手は最初、「えっ？」と驚くかもしれませんが、「こういう意味です」と説明すれば喜んでもらえるはずです。

相手の側でも**「この人はどんなことに興味があるんだろうか」と探ろうとしているはず**なので、その手間が省けることでは大いに助かるからです。

## アウトプットを前提にしたインプット

偏愛マップや名刺を作らなくても応用はできます。相手の関心事を引き出すのが難しそうであれば、**自分が好きなことを先に話してしまいます。**

挨拶のあと、タイミングを見て、「最近ラーメンにハマってるんです」とか「サウナにハマってるんです」などと言って、相手の反応を見ます。

サウナも最近は若いファンが増えていますが、ラーメンに関していえば、好きじゃない人のほうが珍しいくらいです。「どこかおススメの店はありますか？」と聞かれたなら狙いどおりで、そこから話を展開していけます。

**3球目攻撃に近いやり方です。**

「最近、トリュフにハマってるんです」と言ってなかなか関心を引けなくても、ラーメンやカレーなどであれば、かなりの確率で「おススメはありますか」と展開していきます。

そういうことを考えたなら、ラーメンやプロ野球など、多くの人が興味を持つことや時事ネタに詳しくなっていれば会話は回しやすくなります。

好きなことに詳しくなるため、多少の努力をするのは苦にはならないはずです。それどころかむしろ、毎日が楽しくなって充実していきます。

相手の年齢に合わせてドラマや漫画の話題を振ってみるのもいいでしょう。世代に応じて、かなりファンが多いドラマやアニメなどがあるものです。ドラマでいえば、ややマニアックながらも、中高年なら『ムー一族』や少し年齢が下がれば『時効警察』など、アニメでいうなら『未来少年コナン』や『機動戦士ガンダム』などはそれなりの打率が期待できるのではないかという気がします。

こうした作品はBS放送や動画配信サービスなどで見られる場合も多いので、あらためて見直しておきます。

そのうえで「最近、NHKで再放送されている『未来少年コナン』を見てるんですよ」などと切り出せば、相手の反応を見ながら話を展開していけます。

**インプットした情報はすぐにアウトプットしたほうがいいだけでなく、アウトプットすることを前提に情報をインプットする姿勢も大切です。**

意識の持ち方次第でインプットとアウトプットの流れは驚くほどよくなります。頭を整理するといっても、難しく考える必要はありません。

**ふだんの会話を見直すことも含めて、日常生活の中でちょっとした部分を変えていくことが大きな変化につながります。**

リアクションがよくなる、コミュニケーションがうまくなるといったことで、人に与える印象はガラリと変わります。それによって自信もついてくるはずです。

7つのルールを習慣化することで、そんな自分を目指してみてください。

# おわりに

どうすれば頭がうまく整理され、突然、振られたことなどに即座に反応できるようになるのか？

今回の本ではそのための方法論やトレーニング法を解説してきました。

頭を整理するといっても、脳の中で情報をファイリングしておいたり、ラベルやインデックスを付けておくことはできません。それでも、脳の中にあるはずの情報を必要に応じて取り出しやすくすることは可能です。

本編でも書いたことですが、脳には、何かを覚えようとするときに大切な情報だと認識していれば、あとから思い出しやすくなる機能があると考えられています。だとすればインプット段階で強い印象を残せるように工夫しておけばいいわけです。それとともに脳の外側で、形として整理しておくことでも頭の中は整理されます。「図化思考法」や「キーワード主義」、「3の法則」、「メモやチェックボックスの活用」などがそこで役立てられます。

100の情報を得たとき、100のすべてをいつでもすぐに取り出せる情報として記憶するのは難しいにしても、それに近くはしていけます。

日々の習慣を見直していくことによって、とっさのことにも0・5秒といったレベルで反応できるようになるのです。

7つのルールをすべて実践してほしいのはもちろんですが、「思いついたことはなんでもメモして、やるべきことは箇条書きにしてチェックボックスをつけておくこと」、「インプット偏重にならないようにアウトプットの機会を増やすこと」などを徹底することから始めていくのもいいかと思います。

チェックボックスを利用すれば行動に抜けがなくなり、ムダがなくなります。

アウトプットの機会を増やしてインプットとの循環がよくなれば、リアクションの速さがまったく変わってきます。

恥をかきたくないという気持ちを持たないようにすれば、アウトプットの機会は数倍、10倍、20倍……と増やしていけるのです。

難しいことではありません。頭をやわらかくしておき、狩猟感覚でネタの収集に取り組めばいいのです。

本を読む、映画を観る、情報番組や情報サイトを見る、おいしいラーメン店を探す、昔のアニメの再放送を見る……といったすべてを実のあることにできます。

好きなことを中心にした生活の中で、インプットの意味を強めるだけでいいのです。いろいろなジャンルの情報を自分の持ちネタにできていけば、シチュエーションや相手に応じて、さまざまな話題を提供できるようになります。

ＳＮＳの時代になっている現代は、アウトプットのハードルが低くなっています。閲覧者が何人いるかといったことや知らない人にどう思われるかといったことを不安がらず、ツイッターやブログをやってみるのもいいのではないでしょうか。

批判的、否定的なことを書いて公開しても仕方がないので、好きな作品だけを紹介すればいいのです。書評にしても映画評にしても音楽評にしてもそうです。誰かを傷つけるような中傷的な内容になってさえいなければ、問題は起きにくいものです。「文章力はどうか」、「知識が足りないのではないか」などといった心配はしないで、どんどん書いていくべきです。

インプットする情報をいくら増やしても、それに合わせてアウトプットを増やしていけば、情報過多になることはなく、頭はしっかりと整理されます。
そうなれば会話や行動はまったく違ったものになってくるのです。

ネット社会になり、心ない言葉によって傷つけられるケースも多発しています。とはいえ、ネットならではのつながりもあります。

先日、King《キング》 Gnu《ヌー》 の曲「白日」へのコメントにこんなものがありました。

「無印良品がグレたらこんな感じの世界になりそう」

あまりにオリジナルな表現に私は吹き出し、グッときました。このコメントに対して、「例え秀逸すぎ笑笑」「無印不良品になってしまう」「意味わからないのになぜかしっくりくるの草」「ちょっとまって、吹いてギックリ腰悪化したww」といったコメントが500も寄せられていて、あたたかな気持ちになりました。

また、back number の「高嶺の花子さん」へのコメントに、「昨日旅行で青森に行き、映画館の受付の子に一目ぼれしたけど明日福岡に帰ります」といったものがあり、それに「行動が大事！」と書き込む人がいて、その声に押されて告白し、付き合うことになったというケースがありました。

この現代社会にはいろいろな面がありますが、光の当たるところを見ていきたいものです。「この世は生きる価値がある」を共通の認識として、前に進んでいきましょう。

2020年10月

齋藤　孝

齋藤孝（さいとう たかし）

1960年静岡県生まれ。東京大学法学部卒業。同大学大学院教育学研究科博士課程を経て、明治大学文学部教授。専門は教育学、身体論、コミュニケーション論。ベストセラー著作家、文化人として多くのメディアに登場。著書に『声に出して読みたい日本語』（草思社文庫、毎日出版文化賞特別賞）、『雑談力が上がる話し方』（ダイヤモンド社）、『大人の語彙力ノート』（SBクリエイティブ）、『本当の「頭のよさ」ってなんだろう?』（誠文堂新光社）など多数。近著に、大学の教え子であるTBSアナウンサー・安住紳一郎氏との共著『話すチカラ』（ダイヤモンド社）がある。

一瞬でできる!
# 頭の整理力

2021年4月10日　初版第1刷発行

著　者――――齋藤孝
発行者――――赤井仁
発行所――――ゴマブックス株式会社
〒106-0032
東京都港区六本木三丁目16番26号
ハリファックスビル8階

印刷・製本――日本ハイコム株式会社

ISBN978-4-8149-2240-6